Stephen G. Nichols, Jr., *Advisory Editor*

SERIES IN MEDIEVAL FRENCH LITERATURE

Trois Pièces Médiévales

Bettman Archives

Figuration d'un théâtre au moyen âge, d'après l'en-tête du *Térence* de Trechel (1493).

Trois Pièces Médiévales

Le Jeu d'Adam

Le Miracle de Théophile

La Farce du Cuvier

préparées par

A. Robert Harden

UNIVERSITY OF TORONTO
VICTORIA COLLEGE

New York: Appleton - Century - Crofts
DIVISION OF MEREDITH PUBLISHING COMPANY

For information address the publisher,
Appleton-Century-Crofts,
Division of Meredith Publishing Company,
440 Park Avenue South, New York, N. Y. 10016

677–1

Library of Congress Card Number: 67–20813

PRINTED IN THE UNITED STATES OF AMERICA
E 41030

Préface

Nous espérons que ce livre modeste sera une source de plaisir et d'utilité à tous ceux qui s'intéressent à la littérature française du moyen âge en général et au drame de cette époque en particulier. Nous voudrions exprimer notre reconnaissance aux savants dont les noms se trouvent dans la petite bibliographie à la fin de ce tome, surtout à ceux qui ont fait publier eux-mêmes des pièces médiévales et à nos collègues, surtout au professeur Adair Dale de Victoria College, qui ont aidé avec leur conseil et leur patience.

A.R.H.

Table des Matières

Trois Pièces Médiévales

Introduction

Depuis longtemps l'origine du drame médiéval fait surgir des conjectures et provoque des controverses parmi les critiques: comment expliquer la lacune qui existe entre la fin des représentations dramatiques à Rome et le commencement de l'art théâtral en France au Moyen Age? La tragédie et la comédie grecques furent, comme on le sait, traduites et représentées à Rome à partir de 240 av. J.-C. Mais elles ne connurent jamais un grand succès parce que leur inspiration était intimement liée à la vie religieuse des Grecs. Les Romains préféraient les spectacles et les combats dans les arènes. Les tragédies de Senèque étaient lues mais, semble-t-il, rarement représentées. Les comédies eurent une existence plus prolongée, mais disparurent enfin sous l'influence des Pères de l'Eglise. On considérait les pièces de Térence et Plaute comme des poèmes non-dramatiques.

Au Moyen Age, le théâtre latin était bien connu mais seulement parmi des clercs et en général cette connaissance se limitait au théâtre comique. Cependant c'était de la vie religieuse que le drame médiéval devait prendre son essor. Par conséquent l'analogie avec le théâtre grec est remarquable. L'instinct dramatique n'avait évidemment pas disparu dans le peuple et l'Eglise le comprit bien. La messe possédait, d'ailleurs, beaucoup de qualités théâtrales: costumes liturgiques, gestes et mouvements des officiants, lecture à certaines fêtes de l'office sous forme de dialogue, participation des fidèles et musique.

L'élément lyrique joua, dès les premiers siècles du christianisme, un rôle important dans la liturgie. Saint Ambroise au IVe siècle avait introduit l'usage oriental des antiennes et de chant des psaumes à deux choeurs. Il avait aussi composé beaucoup d'hymnes latines en vers qui transformèrent peu à peu la rigidité sacrée de la liturgie. Dans la même tradition il y avait les tropes, paraphrases chantées qui embellissaient le texte traditionnel et qui s'inséraient aussi dans l'office. Leur influence dans le développement du théâtre médiéval fut incalculable. Car, placés au début de certains offices, surtout à certaines célébrations, ils étaient conçus souvent sous forme de dialogue. Il ne semble pas que cet art se soit développé avant la renaissance carolingienne. Son centre se trouvait au monastère de Saint-Gall en Suisse où au dixième siècle le moine Tutilon créa beaucoup de tropes dramatiques dont le premier était inspiré par l'introït de Pâques. Un manuscrit, conservé dans ce monastère, représente l'état le plus ancien de ce trope. Il met en scène les trois Maries qui viennent au tombeau et entrent en conversation avec l'ange qui en garde la porte:

INTERROGATIO Quem quaeritis in sepulcro, ô Christicolae?
RESPONSIO Jesum Nazarenum crucifixum, ô Coelicolae.
ANGELUS Non est hic, surrexit sicut praedixerat.
Ite et nuntiate quia surrexit de sepulcro.[1]

Plus tard l'introït de Noël inspire un autre trope dialogué dont le manuscrit le plus ancien se trouvait au monastère de Saint Martial de Limoges.

Pour augmenter la valeur dramatique de ces pièces primitives, les auteurs commencèrent à ajouter des détails, fréquemment amusants, de la vie quotidienne: les trois Maries s'arrêtent, malgré leur hâte, pour acheter des épices à un marchand vantard; Pierre et Jean vont au tombeau après avoir appris des saintes femmes la nouvelle que le corps a disparu, et chacun d'eux s'efforce d'arriver plus

1 Qui cherchez-vous dans le sépulcre, ô Chrétiennes? Jésus de Nazareth, le crucifié, ô habitants du ciel. Il n'est pas ici; il est ressuscité comme il l'avait prédit. Allez et annoncez qu'il est ressuscité et qu'il est sorti du sépulcre.

vite que l'autre. Il est évident qu'il n'y a pas d'autorité biblique pour le premier épisode cité et que le dramaturge médiéval fait appel à son imagination. C'est un élément dont l'importance ira toujours croissant. Une autre source du drame liturgique fut un sermon faussement attribué à Saint Augustin où les prophètes de l'Ancien Testament annonçaient du haut de la chaire les événements de la vie du Christ et en expliquaient la signification.

Ces petits drames étaient au commencement en latin. Mais à la fin du XIIe siècle on se mettait à les écrire en langue vulgaire. Parmi les premiers et les plus célèbres se trouvait le *Jeu d'Adam* dont les indications scéniques seules étaient encore en latin. Le décor auquel ces indications faisaient allusion montrait bien que ce drame ne se jouait plus dans l'église comme auparavant, mais sur une scène dressée sous le porche ou dans le cloître. Quelquefois on remplaçait le *jeu* du titre par *mystère*. Ce mot-ci provenait, croit-on, de *mysterium* qui prit en latin médiéval le sens d'office ou de service par suite d'une confusion avec *ministerium*. Les mystères comprenaient des pièces basées, ou sur un incident dans la vie d'un saint qui illustrait la justice divine, ou sur une suite d'événements bibliques qui préfigurait l'avènement du Messie, ou sur la passion de Jésus. Ils devinrent de grands spectacles d'une longueur extraordinaire avec d'innombrables personnages, des décors et des machines si vastes qu'ils dominaient le drame où se trouvaient mêlés épisodes comiques, souvent grossiers, et scènes tragiques. A côté des mystères il y avait les miracles, pièces généralement mieux construites dont l'intrigue s'inspirait des vies de saints ou de celles de gens assez ordinaires, mais dont la conduite offrait un bel exemple du triomphe sur le mal de l'innocence et de la générosité. Ils se caractérisaient par l'apparition de la Vierge à la fin de la pièce. C'est elle en effect qui par son intervention miraculeuse amenait le dénouement, à la manière d'un *deus ex machina*. La popularité des mystères et des miracles se prolongea jusqu'à la Renaissance.

Les origines de la comédie médiévale sont beaucoup moins connues que celles du drame religieux: les premiers manuscrits contenant des comédies datent seulement du

XIIIe siècle. Il est évident que la comédie existait longtemps avant cette époque. Ce genre était d'abord purement oral et souvent improvisé, ce qui explique l'absence de manuscrits plus anciens: les scribes ne croyaient pas, sans doute, que ces comédies méritaient d'être copiées sur parchemin. Cependant la rareté des documents n'a pas empêché la critique de spéculer sur la naissance ou la renaissance de la comédie médiévale. Trois théories principales sont proposées. La première soutient que la comédie dérive des scènes comiques du drame religieux. Mais cette thèse laisse supposer que la comédie est née de la liturgie alors qu'au contraire c'est le public qui, d'une certaine manière, a obligé la liturgie à tenir compte de ses exigences en matière de comédie. La seconde thèse affirme que la comédie provient de l'art oral des jongleurs qui suivaient la tradition des mimes errants du monde antique. Mais il est difficile de croire que cet art fut la source exclusive de la comédie. La troisième émet l'hypothèse que la renaissance au Moyen Age des comédies latines influença la comédie vulgaire. Mais ces pièces latines n'étaient jouées que dans les écoles et pas en public. Il y a probablement dans chacune de ces théories une part de vérité mais on est bien forcé d'admettre qu'aucune d'entre elles ne peut s'imposer à l'exclusion des autres et sans réserve.

La comédie du Moyen Age se divisait en quatre genres: le monologue dramatique, qui consistait souvent en une parodie de sermon ou mettait en scène un type traditionnel comme le soldat vantard; la moralité, qui critiquait le code moral ou les institutions publiques, souvent sous une forme allégorique; la sotie, qui était représentée en général par une confrérie d'acteurs appelés les Sots et qui par sa satire violente prétendait édifier le public; la farce, qui n'avait pas de prétentions édifiantes et ne se servait pas de personnages allégoriques mais qui s'inspirait d'une façon malicieuse et souvent grossière des mœurs contemporains. De tous les genres comiques c'est la farce qui dura le plus longtemps.

Il reste à mentionner une des qualités les plus frappantes du théâtre médiéval, la mise en scene qui utilise le décor simultané. Il consistait à mettre sur la scène, à la fois et côte et côte, tous les décors nécessaires pour le drame. Par conséquent, les acteurs se déplaçaient d'un lieu à l'autre selon les exigences du texte. Dans le *Jeu d'Adam* il y avait trois décors, mais vers la fin de l'époque médiévale certains mystères en avaient jusqu'à soixante-dix. Traditionnellement le paradis, la *mansion* de Dieu, se trouvait à l'extrême gauche de la scène et l'enfer, la gueule ouverte d'un monstre, à l'extrême droite.

Les Pièces

Le *Jeu d'Adam*, écrit en anglo-normand, par un clerc anonyme, date de la seconde moitié du XIIe siècle. Le décor et les indications scéniques supposent qu'il fut représenté hors de l'église, peut-être sur le parvis ou devant une des grandes portes. Il se compose de trois parties: la chute d'Adam, le meurtre d'Abel et le défilé des prophètes. La pièce est incomplète, c'est du moins ce qu'on pense, puisque le dernier prophète à parler est Nebuchadnezzar et le défilé aurait dû normalement se poursuivre jusqu'à St. Jean-Baptiste. L'auteur fait preuve de véritables qualités artistiques dans son dialogue et dans ses personnages qui ne se distinguent pas par la simple pureté mais, au contraire, par la complexité de leur psychologie. Adam, par exemple, est, pas seulement le premier homme, sérieux, plein de dignité, conscient de sa responsabilité; mais aussi le premier mari, faible et peu galant en ce qui concerne sa femme. Eve, d'abord coquette et séduisante, dans le portrait de cet auteur, devient après son crime une des premières grandes héroines tragiques de la scène française. Abel, le fils idéal, se caractérise comme un être puritain dont l'air suffisant fait compréhensible en part la haine de son frère égoïste, pragmatique et essentiellement bourgeois. Même dans le défilé des prophètes l'auteur tâche d'ajouter une qualité distinctive à chacune des personnalités. C'est à cause de ces personnages qui sont à la fois du Moyen Age et de tous les âges que la pièce se joue si bien dans ce siècle.

L'auteur du *Miracle de Théophile* est le trouvère Rutebeuf, né au treizième siècle. Tout ce que l'on sait de son existence vient de ses œuvres dont le *Miracle de Théophile* est la seule pièce que nous possédions. Le héros du drame était le centre d'une légende très répandue qui se trouvait illustrée dans d'autres formes artistiques, notamment dans la sculpture ecclésiastique. On a souvent signalé le rapport qui semble exister entre la vie de Théophile et celle de Faust, spécialement en ce qui concerne le pacte fait avec le Diable. Selon la légende, Théophile était l'économe d'une église en Cilicie. Après la mort de son évêque on lui offrit de lui succéder mais il refusa. Le nouvel évêque, pour des raisons qui ne sont pas claires, ôta à Théophile tous ses privilèges. Le héros, découragé et disgrâcié, décida de céder aux tentations du Diable et de signer un pacte avec son propre sang. Le Diable lui fit aussitôt restituer ses honneurs. Mais le remords commença vite à torturer la conscience de Théophile. Repentant, il s'adressa à la Vierge qui, émue de ses plaintes et de ses prières, lui rendit le pacte. Le drame de Rutebeuf commence avec la lamentation de Théophile qui vient de perdre sa situation.

La qualité saillante de la pièce est, sans doute, son lyrisme. Rutebeuf, poète et dramaturge, utilise son génie lyrique pour exprimer, d'une façon touchante, l'introspection agonisée de son héros. Quelquefois, comme dans le long cri de remords (l. 384), sa poésie s'approche de la préciosité. Plus fréquemment, comme dans la prière à la Vierge, elle révèle une simplicité profondément sincère.

La Farce du Cuvier vient du quinzième siècle et elle est anonyme. Son intrigue est une sorte de variation sur l'éternelle guerre qui oppose les sexes et qui inspirait fréquemment l'action de ces pièces. Au début la hiérarchie habituelle de la famille se trouve menacée par une femme autoritaire et une belle-mère importune. Cependant l'intervention du hasard et aussi la vivacité d'esprit d'un mari faible rétablissent finalement l'ordre traditionnel.

Le
Jeu
d' Adam

❦ Le Jeu d'Adam ❦

c. 1150–1170

Ordo representacionis Ade

Constituatur paradisus loco eminenciori; circumponantur cortine et panni serici, ea altitudine, ut persone, que in paradiso erunt, possint videri sursum ad humeros; serantur odoriferi flores et frondes; sint in eo diverse arbores et fructus in eis dependentes, ut amenissimus locus videatur. Tunc veniat salvator indutus dalmatica, et statuantur coram eo Adam [et] Eva. Adam indutus sit tunica rubea, Eva vero muliebri vestimento albo, peplo serico albo, et stent ambo coram figura; Adam tamen propius, vultu composito, Eva vero parum demissiori; et sit ipse Adam bene instructus, quando respondere debeat, ne ad respondendum nimis sit velox aut nimis tardus. Nec solum ipse, sed omnes persone sic instruantur, ut composite loquantur et gestum faciant convenientem rei, de qua loquuntur; et, in rithmis nec sillabem addant nec demant, sed

L'ordre du jeu d'Adam

Que le paradis soit situé sur un lieu assez élevé, entourné de rideaux et de tentures de soie à une hauteur telle que les personnages qui seront au paradis ne puissent être vus qu'à hauteur d'épaule. Que des feuilles et des fleurs odoriférantes jonchent le sol. Qu'il y ait des arbres divers chargés de fruits pour que l'endroit puisse avoir l'air d'un séjour délicieux. Puis, que le Sauveur entre, revêtu d'une dalmatique et qu'Adam, vêtu d'une tunique rouge et Eve d'un costume blanc comme en portent les femmes et d'un manteau de soie blanche, et qu'ils paraissent devant Dieu. Que tous les deux se tiennent debout devant sa face, Adam plus près, d'un air calme, et Eve un peu en retrait. Qu'Adam sache bien quand il doit répondre, afin qu'il ne donne pas sa réplique trop vite ni trop tard, pas seulement lui mais tout le monde. Que les personnages soient instruits à parler posément et à faire des gestes convenables à ce qu'ils disent. Qu'ils n'ajoutent ni

omnes firmiter pronuncient, et dicantur seriatim que dicenda sunt. Quicunque nominaverit paradisum, respiciat eum et manu demonstret. Tunc incipiat lectio.	*n'ôtent une syllabe aux vers qu'ils prononcent tous distinctement et parlent en ordre les uns après les autres. Que celui qui mentionne le paradis le regarde et l'indique de la main. Puis, que la lecture commence:*
In principio creavit Deus celum et terram . . .	*Au commencement Dieu créa le ciel et la terre . . .*
Qua finita chorus cantet:	*Cela fait, que le chœur chante:*
Formavit igitur Dominus . . .	*Dieu forma donc . . .*
Quo finito dicat Figura:	*Après cela, que la Figure dise:*

Adam.

Qui respondeat:	*Que celui-ci réponde:*

Sire.

FIGURA Formé tei ai
De lum de terre.
ADAM Bien le sai.
FIGURA Je [t'ai duné alme vivant,
Si] t'ai formé a mun semblant,
5 A m'imagene t'ai fait de tere.
Ne me devez ja moveir guere.
ADAM Ne ferai ge, mais te crerrai,
Mun creatur obeïrai.
FIGURA Je t'ai duné bon cumpainun:
10 Cë est ta femme, Evain a nun;
Cë est ta femme e tun pareil;
Tu li deiz estre bien feeil.
Tu aime li, e ele aint tei,
Si serez bien andui de mei.
15 El seit a tun comandement,

---

2 lum: *limon*
3 alme: *âme*
4 semblant: *resemblance*
5 imagene: *image*
6 ne . . . guere: *vous ne devez pas vous mettre en guerre contre moi*
7 crerrai: *croirai*
10 nun: *nom*
11 pareil: *égale*
12 li: *lui;* feeil: *fidèle*
13 aime li: *aime-la;* ele aint tei: *qu'elle t'aime*

E vus ansdous a mun talent.
De ta coste l'ai [jo] formee,
N'est pas estrange, de tei est nee.
Jo la plasmai dreit a ton cors;
De tei eissit, non pas de fors. 20
Tu la governe par raison;
Nen ait entre vus ja tençon,
Mais grant amor, grant conservage:
Tel seit la lei de mariage.

FIGURA AD EVAM [Or] parlerai a tei, Evain. 25
Ço garde tu, nel tien en vain:
Si vols faire ma volenté,
En ton cuer garderas bonté.
Honore mei, ton creator,
E mei reconuis a Seignor. 30
A mei servir met ton porpens,
Tut[e] ta force e tot tun sens.
Adam aimë, e lui tien chier:
Il est marid, tu sa mullier;
A lui seies tot tens encline, 35
Nen issir de sa discipline;
Lui serf e aine par bon corage;
Car ço est dreiz de mariage.
Se tu li fais bon adjutoire,
Jo te mettrai od lui en gloire. 40

EVA Jol ferai, sire, a ton plaisir,
Ja ne voldrai de rien issir;
Tei conustrai a [mon] Seignor,
Lui a pareil e a forçor;
Jo lui serrai tot tens feeil, 45

---

14 andui: *tous les deux*
15 el: *qu'elle*
16 ansdous: *tous les deux;* talent: *volonté*
17 coste: *côte*
19 plasmai: *formai*
20 de tei . . . fors: *est sortie de ton corps et pas autrement*
22 nen . . . tençon: *qu'il n'y ait jamais dispute entre vous*
23 conservage: *protection mutuelle*
26 nel: *ne le*
27 vols: *tu veux*
30 a: *pour*
31 porpens: *zèle*
33 lui tien chier: *tiens-lecher*
34 marid: *mari;* mullier: *femme*
35 tens: *temps;* encline: *soumise*
36 nen issir de: *ne te dérobe pas à*
37 lui serf: *sers-le;* corage: *cœur*
38 dreiz: *loi*
39 adjutoire: *aide*
40 od: *avec*
42 issir: *me dérober*
43 tei conustrai: *te reconnaîtrai*
44 pareil: *égal;* forçor: *plus fort*

De mei avra [mult] bon conseil;
Le ton plaisir, le ton servise
Ferai, sirë, en tot[e] guise.

Tunc Figura vocet Adam propius, et attentius ei dicat:	*Que la Figure invite Adam à s'approcher et lui parle en appuyant sur chaque mot:*

Escote, Adam, e entent ma raison.
50 Jo t'ai formé, or te dorrai tel don:
Tot tens poez vivre, si tu tiens mon sermon,
E serras sains, ne sentiras friçun.
Ja n'avras faim, por bosoing ne bevras,
Ja n'avras freit, ja chalt ne sentiras.
55 Tu iers en joie, ja ne te lasseras;
E en deduit ja dolor ne savras.
Tute ta vie demeneras en joie;
Tuz jors serras, ta vie n'iert pas poie;
Jol di a tei, e voil quë Eve l'oie,
60 Se ne l'entent, donc a folor s'apoie.
De tote terre avez la seignorie,
D'oisels, de bestes e d'altre manantie.
A petit vus seit qui vus porte envie,
Car tot lit mond iert en vostre baillie.
65 En vostre chois vus met e bien e mal!
Ki ad tel dun, n'est pas lïez a pal.
Tut en balance or pendez par egal.
Creez conseil, seiet vers mei leal.
Laisse le mal, e si te prend al bien.

---

50 or: *maintenant;* dorrai: *donnerai*
51 poez: *vous pouvez;* sermon: *parole*
52 friçun: *frisson*
53 bosoing: *nécessité;* bevras: *boiras*
54 freit: *froid;* chalt: *chaud*
55 iers: *seras*
56 deduit: *plaisir;* savras: *sauras*
57 demeneras: *passeras*
58 serras: *vivras;* poie: *brève*
59 jol di: *je le dis;* voil: *je veux;* oie: *entende*
60 folor s'apoie: *elle incline à la folie*
61 seignorie: *maîtrise*
62 oisels: *oiseaux;* manantie: *possession*
63 a petit vus seit: *qu'il vous inquiète peu*
64 iert: *sera;* baillie: *autorité*
65 en vostre chois: *entre vos mains;* met: *je mets*
66 lïes a pal: *enchaîné*
67 pendez par egal: *pèse également*
68 creez: *croyez;* leal: *loyal*
69 te prend al: *applique-toi cu*

Tun Seignor aime e si od lui te tien, 70
Por nul conseil ne guerpisez le mien:
Si tu le fais, ne peccheras de rien.

ADAM Granz graces rend a ta benignité,
Ki me formas e me fais tel bunté,
Que bien e mal mez en ma poësté. 75
En tei servir metrai ma volenté.
Tu es mi sires, jo sui ta creature;
Tu me plasmas, e jo sui ta faiture.
Ma volenté ne serrad ja si dure
Qu'a tei servir ne seit tote ma cure. 80

Tunc Figura manu demonstret paradisum Ade, dicens:	*Alors, que Figura montre de la main le paradis à Adam, en disant:*

Adam.
ADAM Sire.
FIGURA Dirrai tei mon avis,
Vei cest jardin.
ADAM Cum ad nun?
FIGURA Paradis.
ADAM Mult par est bel.
FIGURA Jel plantai e asis.
Qui i maindra, [cil] serra mis amis.
Jol tei comand por maindre e por garder. 85

Tunc mittet eos in paradisum, dicens:	*Puis, il les envoit au paradis, en disant:*

Dedenz vus met.
ADAM Purrum i nus durer?
FIGURA A toz jorz vivre, rien n'i poëz duter;
Ja n'i porrez murir ne engruter.

---

71 guerpisez: *abandonnez*
72 ne peccheras de rien: *tu ne pécheras en rien*
73 benignité: *bienveillance*
75 poësté: *puissance*
78 plasmas: *formas;* faiture: *création*
80 cure: *souci*
83 mult par: *très;* asis: *disposé*
84 maindra: *habitera*
86 durer: *rester*
87 duter: *craindre*
88 engruter: *devinir malade*

Chorus cantet:	*Que le chœur chante:*
Tulit ergo Dominus hominem . . .	*Dieu éleva l'homme . . .*
Tunc Figura manum extendet versus paradisum, dicens:	*Alors la Figure étendra la main vers le paradis, en disant:*

De cest jardin tei dirrai la nature:
90 De nul delit n'i troverez falture;
N'est bien al mond, que coveit criature,
Chescons n'i poisset trover a sa mesure,
Femme dë home nen i avra irur,
Në hom de femme verguine ne freür.
95 Por engendrer n'i est hom peccheor,
N'a l'emfanter femme n'i sent dolor.
Tot tens vivras, tant i ad bon estage:
N'i porra ja changier li toen eage.
Mort n'i crendras, ne te ferra damage.
100 Ne voil qu'en isses, ici feras manage.

Chorus cantet:	*Que le chœur chante:*
Dixit Dominus ad Adam . . .	*Dieu dit à Adam . . .*
Tunc monstret Figure Ade arbores paradisi, dicens:	*Alors, que la Figure montre à Adam les arbres du paradis, en disant:*

De tot cest fruit poez mangier por deport,

Et ostendat ei vetitam arborem et fructus ejus, dicens:	*Qu'il indique l'arbre défendu et son fruit, en disant:*

Cest tei defent, n'en faire altre comfort.
Se en manjues, sempres sentiras mort;
M'amor perdras, mal changeras ta sort.

---

90 falture: *manque*
91 n'est bien al mond, que coveit criature: *il n'y a pas de bien que l'homme convoite*
92 poisset: *puisse*
93 avra irur: *sentira la colère*
94 verguine: *honte;* freür: *crainte*
95 peccheor: *pécheur*
97 estage: *séjour*
98 li toen eage: *ton âge*
100 voil: *veux;* isses: *sortes;* manage: *ménage*
101 por deport: *à ton aise*
102 cest: *celui-ci;* comfort: *plaisir*
103 sempres: *tout de suite*

ADAM Jo garderai tot ton comandement, 105
Ne jo në Eve nen istroms de nïent.
Por un sol fruit se pert tel chasement,
Dreiz est que seie defors jetez al vent.
Por une pome se jo guerpis t'amor,
Ja en ma vie comperrai ma folor. 110
Jugiez deit estre a lei de traïtor
Qui se parjure e traïst son seignor.

Tunc vadat Figura ad ecclesiam, et Adam et Eva spacientur, honeste delectantes in paradiso. Interea demones discurrant per plateas, gestum facientes competentem; et veniant vicissim juxta paradisum, ostendentes Eve fructum vetitum, quasi suadentes ei, ut eum comedat. Tunc veniat Diabolus ad Adam, et dicet ei:

Alors, que la Figure se dirige à l'église et qu'Adam et Eve se promènent calmement en jouissant des plaisirs du paradis. Cependant, que les démons se répandent sur la scène, faisant des gestes convenables. Qu'ils s'approchent du paradis, en montrant à Eve le fruit défendu comme s'ils veulent lui persuader qu'elle devrait le manger. Puis, que le Diable vienne à Adam et lui dise:

Que fais, Adam?
ADAM Ci vif en grant deduit.
DIABOLUS Estes tu bien?
ADAM Ne sent rien que m'enoit.
DIABOLUS Poet estre mielz. 115
ADAM Ne puis saveir coment.
DIABOLUS Vols le saveir?
ADAM Nïent n'iert mon talent.
DIABOLUS Jo sai coment.
ADAM E mei qu'en chalt?
DIABOLUS [E] por quei non?
ADAM Rien ne me valt.
DIABOLUS Il te valdra.
ADAM Jo ne sai quant.
DIABOLUS Nel te dirrai pas en curant. 120

---

106 istroms de nïent: *départirons en rien*
107 chasement: *séjour*
108 dreiz: *juste;* seie defors: *je sois dehors*
109 guerpis: *abandonne*
110 comperrai: *paierai*
112 traïst: *trahit*
113 vif: *je vis*
114 enoit: *ennuie*
116 vols: *veux-tu;* talent: *désir*
117 mei qu'en chalt: *que m'importe*
118 valt: *vaut*
120 en curant: *vite*

ADAM Or le me di.
DIABOLUS Ne ferai pas,
Ainz te verrai del preier las.
ADAM N'ai nul bosoing de ço saveir.
DIABOLUS Kar tu ne deiz nul bien aveir.
125 Tu as li bien, n'en sez joïr.
ADAM E jo coment?
DIABOLUS Voldras l'oïr?
Jol te dirrai priveement.
ADAM [Ço voil jo bien] seürement.
DIABOLUS Esculte, Adam, entent a mei.
130 Ço iert tun pru.
ADAM E jo l'otrei.
DIABOLUS Creras me tu?
ADAM Oïl, mult bien.
DIABOLUS Del tut en tut?
ADAM Fors d'une rien.
DIABOLUS De quel chose?
ADAM Jol te dirrai,
Mon creator nen offendrai.
135 DIABOLUS Criens le tu tant?
ADAM Oïl, por veir,
Jo l'aim e criem.
DIABOLUS N'est pas saveir.
Que te poet faire?
ADAM E bien e mal.
DIABOLUS Molt es entré en fol jornal,
Quant creiz mal t'en poisse venir.
140 N'es tu en gloire? Ne poez morir.
ADAM Deus le m'a dit, que je murrai,
Quant son precept trespasserai.
DIABOLUS Quel est cist grant trespassement?

---

122 ainz: *avant que;* del preier las: *las de le demander*
123 bosoing: *besoin*
124 deiz: *dois;* nul bien; *nul autre bien*
125 sez joïr: *sais jouir*
126 voldras l'oïr: *vaudrais l'entendre*
127 priveement: *en particulier*
129 esculte: *écoute*
130 iert: *sera;* pru: *profit;* otrei: *permets*
131 creras: *croiras*
132 del tut en tut: *parfaitement;* fors: *sauf;* rien: *chose*
135 criens: *crains;* por veir: *en vérité*
136 criem: *crains*
138 molt es entré en fol jornal: *cela a été, pour toi, un mauvais jour*
139 venir: *arriver*
142 trespasserai: *transgresserai*

Oïr le voil senz nul entent.

ADAM Jol te dirrai tot veirement. 145

Il me fist un comandement:

De tuit le fruit de paradis

Puis jo mangier, ço m'a apris,

Fors de sul un; cil m'est defens,

Celui ne tucherai de mains. 150

DIABOLUS Li quels est ço?

Tunc erigat manum Adam, et ostendat ei fructum vetitum, dicens:	*Puis, qu'Adam lève la main et montre le fruit défendu, en disant:*

Veiz le tu la?

Celui tres bien me devea.

DIABOLUS Sez tu por quei?

ADAM Jo certes non.

DIABOLUS Jo t'en dirrai ja l'achaison:

De l'altre fruit rien ne li chalt, 155

Et manu ostendat ei fructum vetitum, dicens Ade:	*Et qu'il lui montre de la main le fruit défendu, en disant à Adam:*

Fors de celui qui pent en halt:

Ço est le fruit de sapïence,

De tut saveir done scïence.

Se le manjues, bon le feras.

ADAM E jo en quei? 160

DIABOLUS Tu le verras.

Ti oil serrunt sempres overt,

Quanque deit estre t'iert apert,

Quanque vuldras porras parfaire

Mult le fait bon vers tei atraire:

Manjue le, si feras bien, 165

---

144 oïr: *entendre;* senz: *sans;* entent: *délai*
145 veirement: *vraiment*
149 fors: *excepté;* sul: *seul;* defens: *défendu*
151 la: *là*
152 me devea: *m'a défendu*
154 achaison: *motif*
155 li chalt: *lui importe*
156 pent en halt: *pend là-haut*
157 sapïence: *sagesse*
158 scïence: *connaissance*
161 ti oil: *tes yeux;* sempres: *tout de suite*
162 quanque: *tout ce qui;* iert apert: *sera évident*
164 mult le fait bon vers tei atraire: *tu feras bien de le saisir*

Ne crendras pois tun Deu de rien;
Ainz serras puis del tut son per:
Por ço le [fruit] quidat veër.
Creras me tu? Guste del fruit.

170 ADAM Nel ferai pas.

DIABOLUS Or oi deduit.
Nel feras?

ADAM Non.

DIABOLUS Kar tu es soz;
Encor te membrera des moz.

Tunc recedat Diabolus, et ibit ad alios demones, et faciet discursum per plateam, et facta aliquantula mora, hylaris et gaudens redibit ad temptandum Adam, et dicet ei:	*Alors, que le Diable s'éloigne. Il ira aux autres démons. Après s'être promené quelque temps il reviendra tout content pour tenter encore Adam. Il lui dira:*

DIABOLUS Adam, que fais? Changeras sens?
Es tu encore en fol porpens?
175 Jol the quidai dire l'autr'ier,
Deus t'a fait ci sun provendier,
Ci t'ad mis por mangier cest fruit.
As tu donques altre deduit?

ADAM Oïl, nule rien ne me falt.

180 DIABOLUS Ne munteras ja mes plus halt?
Molt te porras tenir por chier,
Quant Deus t'a fet sun jardenier.
Deus t'a fait gardein de son ort,
Ja ne querras altre deport?
185 Forma il tei por ventre faire?

---

166 crendras pois: *craindras plus*
167 ainz: *plutôt;* per: *égal*
168 por ço: *pour cette raison;* quidat veër: *il songea*
169 creras: *à défendre;* guste: *goûte*
170 oi deduit: *j'entends une plaisanterie*
171 kar. *que;* soz: *fou*
172 tu membrera: *tu te souviendras;* moz: *mots*
173 sens: *d'avis*
174 en fol porpens: *plein de folles idées*
175 quidai: *pensai;* autr'ier: *avant-hier*
176 ci: *ici;* provendier: *celui qui reçoit ses aûmones*
178 deduit: *plaisir*
179 rien: *chose*
180 ja mes: *jamais*
181 por chier: *dans ses bonnes grâces*
182 fet: *fait*
183 ort: *jardin*
184 querras: *chercheras;* deport: *plaisir*

Altre honor te voldra atraire.
Escute, Adam, entent a mei,
Jo te conseillerai en fei,
Que porras estre senz seignor,
E seras per del Creatur. 190
Jo te dirrai tute la summe:
Si tu manjues [de] la pome,

Tunc eriget manum contra paradisum:	*Alors il étendra la main vers le paradis:*

Tu regneras en majesté,
Od Deu poez partir poësté.
ADAM Fui tei de ci!
DIABOLUS Que dis, Adam?
ADAM Fui tei de ci! Tu es Sathan; 195
Mal conseil dones.
DIABOLUS E jo, comment?
ADAM Tu me voels livrer a torment,
Mesler me vols o mun Seignor,
Tolir de joie, mettre en dolor. 200
Ne te crerrai, fui tei de ci!
Ne seies ja mais tant hardi,
Que tu ja vienges devant mei!
Tu es traïtres e sanz fei.

Tunc tristis et vultu demisso recedet ad Adam et ibit usque ad portas inferni, et colloquium habebit cum aliis demoniis. Post ea vero discursum faciet per populum; dehinc ex parte Eve accedet ad paradisum, et Evam leto vultu blandiens sic alloquitur:	*Alors, triste et la tête baissée le Diable s'éloignera d'Adam et se dirigera vers les portes de l'enfer. Il parlera avec les autres démons. Alors, après cela il circulera au milieu des gens. Puis il s'approchera de la partie du paradis où se trouve Eve et en la flattant d'un air joyeux il parlera ainsi:*

---

186 atraire: *accorder*
188 fei: *vérité*
189 senz: *sans*
191 summe: *histoire*
194 od: *avec*; poez partir poësté: *peux partager la puissance*
199 mesler: *brouiller*
200 tolir: *ôter*
202 seies: *sois*
203 vienges: *vienne*

205 Eve, ça sui venuz a tei.
EVA Di mei, Sathan, e tu pur quei?
DIABOLUS Jo vois querant tun pru, t'honor.
EVA Ço dunge Deu.
DIABOLUS N' aiez poür.
Mult a grant tens que j'ai apris
210 Toz les conseils de paraïs:
Une partie t'en dirrai.
EVA Ore comence, e jo l'orrai.
DIABOLUS Orras me tu?
EVA Si ferai bien,
Ne te curecerai de rien.
215 DIABOLUS Celeras mei?
EVA Oïl, par fei.
DIABOLUS Iert descovert.
EVA Nenil par mei.
DIABOLUS Or me mettrai en ta creance,
Ne voil de tei altre fiance.
EVA Bien te poez creire a ma parole.
220 DIABOLUS Tu as esté en bone escole.
Jo vi Adam, mais trop est fols.
EVA Un poi est durs.
DIABOLUS Il serra mols.
Il est plus dors que n'est emfers.
EVA Il est mult francs.
DIABOLUS Ainz est mult sers.
225 Cure ne voelt prendre de sei;
Car la prenge seveals de tei.
Tu es fieblette e tendre chose,
E es plus fresche que n'est rose;
Tu es plus blanche que cristal,
230 Que neif que chiet sor glace en val;

---

205 ca: *ici*
207 pru: *profit*
208 ço dunge Deu: *que Dieu donne cela*; poür: *peur*
209 mult a grant tens: *il y a longtemps*
210 conseils: *secrets*
212 orrai: *écouterai*
213 orras: *écouteras*
214 curecerai: *fâcherai*
215 celeras mei: *me garderas-tu le secret*
217 creance: *confiance*
218 fiance: *assurance*
221 vi: *vis*; fols: *fou*
222 poi: *peu*; serra mols: *deviendra plus tendre*
223 dors: *dur*
224 francs: *honnête*; sers: *servile*
225 cure: *souci*
226 la prenge seveals: *qu'il la prenne au moins*
230 neif: *neige*; chiet: *tombe*

Mal cuple em fist li criator:
Tu es drop tendre e il trop dur;
Mais neporquant tu es plus sage,
En grant sens as mis tun corrage.
Por ço fait bon trairë a tei. 235
Parler te voil, ore i ait fei.
N'en sache nuls.

EVA Kil deit saveir?

DIABOLUS Neïs Adam.

EVA Nenil, por veir.

DIABOLUS Or te dirrai, et tu m'ascute.
N'a que nus dous en cest rote, 240
E Adam la, qui ne nus ot.

EVA Parlez en halt, n'en savrat mot.

DIABOLUS Jo vus acoint d'un grant engin,
Que vus est fait en cest jardin.
Le fruit que Deus vus ad doné, 245
Nen a en sei gaires bonté;
Cil qu'il vus ad tant defendu
Il ad en sei [mult] grant vertu.
En celui est grace de vie,
De poësté, de seignorie, 250
De tut saveir, [e] bien e mal.

EVA Quel savor a?

DIABOLUS Celestïal.
A ton bel cors, a ta figure,
Bien covendreit tel aventure
Que tu fusses dame del mond, 255
Del soverain e del parfont,
E seües quanque [est] a estre,
Que de tuit fusses bone maistre.

---

231 mal cuple: *couple mal assorti*
233 neporquant: *néamoins*
234 corrage: *coeur*
235 trairë a tei: *t'approcher*
236 i ait fei: *qu'il y ait de la foi*
237 n'en sache nuls: *que nul n'en sache*
238 neïs: *même pas;* nenil: *non*
239 ascute: *écoutes*
240 dous: *deux;* rote: *réunion*
243 acoint: *avertis;* engin: *tromperie*
246 gaires: *guère*
249 grace: *don*
250 poësté: *puissance*
252 savor: *saveur*
255 que: *pour que;* dame: *la reine*
256 del soverain e del parfont: *du plus haut et du plus bas*
257 e seües quanque est a estre: *tu susses ce qui doit être*

EVA Es tel li fruiz?

DIABOLUS Oïl, por veir.

Tunc diligenter intuebitur Eva fructum vetitum, quem diu intuita, dicet:	*Alors Eva regardera avec empressement le fruit défendu. Après l'avoir regardé longtemps, elle dira:*

260 Ja me fait bien sol le veeir.
DIABOLUS Si le mangues, que feras?
EVA E jo, que sai?
DIABOLUS Ne me crerras?
Primes le prend e Adam done.
Del ciel avrez sempres corone,
265 Al creator serrez pareil,
Ne vus purra celer conseil;
Puis que del fruit avrez mangié,
Sempres vus iert le cuer changié;
O Deu serrez [vus], sanz faillance,
270 D'egal bonté, d'egal puissance.
Guste del fruit.
EVA J'en ai regard.
DIABOLUS Ne creire Adam.
EVA Jol ferai [tart].
DIABOLUS Quant [le feras tu]?
EVA Suffrez mei
Tant quë Adam seit en requei.
275 DIABOLUS Manjue le, n'aiez dutance,
Le demorer serreit emfance.

Tunc recedat Diabolus ab Eva, et ibit ad infernum. Adam vero veniet ad Evam, moleste ferens quod cum ea locutus sit Diabolus, et dicet ei:	*Alors, que le diable s'éloigne d'Eve pour aller à l'enfer. Adam s'approchera d'Eve, fâché parce que le diable lui parla et il lui dira:*

---

260 sol le veeir: *seule sa vue*
262 crerras: *croiras*
263 primes: *d'abord*
264 sempres: *aussitôt*
266 celer conseil: *cacher ses idées*
268 iert: *sera*
271 guste: *goûte;* regard: *intention*
273 suffrez: *soyez patient avec*
274 requei: *repos*
276 demorer: *tarder*
277 mullier: *femme;* querreit: *demandait*

Di mei, mullier, que te querreit
Li mal Satan? Que te voleit?

EVA Il me parla de nostre honor.

ADAM Ne creire ja le traïtor. 280
Il est traïtre, bien le sai.

EVA E tu coment?

ADAM Car oi l'ai.

EVA De ço qu'en chalt?

ADAM Nel dei veeir.

EVA Il te ferra changier saveir.

ADAM Nel fera pas, car nel crerai 285
De nule rien, tant que l'asai.
Nel laissier mais venir sor tei,
Car il est mult de pute fei.
Il volst traïr ja son Seignor,
E sei poser al Deu halçor; 290
Tel paltonier qui ço ad fait,
Ne voil vers nus ait nul retrait.

Tunc serpens artificiose compositus ascendet juxta stipitem arboris vetite; cui Eva propius adhibebit aurem, quasi ipsius ascultans consilium. Dehinc accipiet Eva pomum, porriget Ade. Ipse vero nondum eum accipiet, et Eva dicet ei:	*Alors, un serpent, ingénieusement construit, montera l'arbre défendu. Eve s'en approchera et prêtera l'oreille à ses discours comme si elle écoute son conseil. Puis Eve prendra la pomme et l'offrira à Adam. Il refusera de l'accepter et elle lui dira:*

Manjue, Adam! ne sez quë est.
Pernum ce bien que nous est prest.

ADAM Est il tant bon? 295

EVA Tu le savras;
Nel poez saveir sin gusteras.

---

282 oi: *entendu*
283 qu'en chalt: *qu'importe;* nel dei veeir: *tu ne dois pas le voir*
288 pute: *mauvaise*
289 traïr: *trahir*
290 sei: *se;* halçor: *plus haut*
291 paltonier: *scélérat*
292 ne voil vers nus ait nul retrait: *je ne veux qu'il ait chez nous de l'abri*
293 sez: *sais*
294 pernum: *prenons;* prest: *préparé*
296 sin gusteras: *si tu ne le goûtes pas*

ADAM J'en duit.
EVA Lai le!
ADAM Ne ferai pas.
EVA Del demorer fais tu que las.
ADAM E jol prendrai.
EVA Manjue! Tien!
300 Par ço savras e mal e bien.
J'en manjerai premirement.
ADAM E jo aprés.
EVA Seurement.

Tunc comedat Eva partem pomi, et dicet Ade:	*Alors, qu'Eve mange un morceau de la pomme, et elle dira à Adam:*

Gusté en ai; Deus! quel savor!
Unc ne tastai d'itel dolçor!
305 D'itel savor est ceste pome . . .
ADAM De quel?
EVA D'itel ne gusta home.
Or sunt mi oil tant cler veant,
Jo semble Deu le tuit puissant
Quanque fu [e] quanque deit estre
310 Sai jo trestut, bien en sui maistre.
Manjue, Adam, ne faz demore,
Tu le prendras en mult bone ore.

Tunc accipiet Adam pomum de manu Eve, dicens:	*Alors Adam prendra la pomme de la main d'Eve, en disant:*

Jo te crerrai, tu es ma per.
EVA Manjue! [Tien!] N'en poez doter.

---

297 duit: *ai peur;* lai le: *ne t'en inquiète pas*
298 del demorer fais tu que las: *tu es fatigant avec tes hésitations*
304 unc ne: *ne jamais;* dolçor: *douceur*
307 mi oil: *mes yeux;* cler veant: *clairvoyants*
308 semble: *ressemble à*
309 quanque: *tout ce qui*
310 trestut: *tout*
311 ne faz demore: *ne fais pas d'hésitations*
312 en mult bone ore: *pour ton bonheur*
313 per: *égale*

Tunc comedat Adam partem pomi; quo comesto cognoscet statim peccatum suum et inclinabit se, [ut] non possit a populo videri, et exuet sollempnes vestes, et induet vestes pauperes consutas foliis ficus, et maximum simulans dolorem incipiet lamentationem suam:

Alors, qu'Adam mange un morceau de la pomme. Après l'avoir mangé, il se rendra compte tout de suite de son péché et s'inclinera pour que les gens ne puissent pas le voir. Puis il dépouillera ses vêtements sacrés et mettra de pauvres habits, formés de feuilles du figuier cousues ensemble. Il simulera un grand chagrin et commencera sa lamentation:

Las! peccheor, quë ai jo fait? 315
Ore sui mort sanz nul retrait.
Senz nul rescus [or] sui jo mort,
Tant est cheeite mal ma sort.
Mal m'est changiee m'aventure;
Mult fu ja bone, or est mult dore. 320
Jo ai guerpi mun criator
Par le conseil de male uissor.
A! Las! pecchable, que ferai?
Mun criator cum atendrai?
Cum atendrai mon criator, 325
Que j'ai guerpi por ma folor?
Unques ne fis tant mal marchié;
Or sai jo ja quë est pecchié.
Oi! Mort! Por quei me laisses vivre?
Que n'est li mond de mei delivre? 330
Por quei faz encombrier al mond?
D'emfer m'estoet tempter le fond.
En emfer serra ma demure,
Tant que vienge qui me sucure.

---

316 retrait: *retour*
317 rescus: *espoir*
318 cheeite: *tombée*
319 aventure: *destin*
320 dore: *dure*
321 guerpi: *abandonné*
322 uissor: *épouse*
323 pecchable: *pécheur*
324 cum atendrai: *comment l'attendrai-je*
327 mal marchié: *mauvais marché*
328 quë est pecchié: *ce que c'est le péché*
330 de mei delivre: *débarrassé de moi*
331 faz encombrier: *salis-je encore*
332 m'estoet tempter: *il me faut toucher*
334 tant que vienge qui me sucure: *jusqu'à ce que Dieu vienne me sauver*

335 En emfer si avrai ma vie.
Dont me vendra iloc aïe?
Dont me vendra iloec socors?
Ki me trara d'ites dolors?
Por quei vers mon Seignor mesfis?
340 Ne me deit estre nul amis.
Non iert nul [hom] que gaires vaille.
Jo sui perdu senz nule faille.
Vers mon Seignor sui si mesfait,
Ne puis od lui entrer em plait:
345 Car jo ai tort e il ad dreit.
Deu! tant serai ci maleeit.
Qui avrad mais de mei memorie?
Car sui mesfet au Rei de gloire.
Au Rei del ciel sui si mesfait,
350 De raison n'ai vers lui un trait.
Nen ai ami ne nul veisin,
Qui me traie del plait a fin.
Qui preirai ja qui m'aït,
Quant ma femme si me traït,
355 Qui Dex me dona por pareil?
Ele me dona mal conseil.
Aï! Eve!

Tunc aspiciet Evam uxorem suam, et dicet:	*Alors, il regardera sa femme, Eve, et dira:*

Femme desvee!
Mal fus tu unques de mei nee.
Car arse fust iceste coste
360 Qui m'ad mis en si male poste.
Car fust la coste en fu brudlee,
Qui m'ad basti si grand meslee.
Quant cele coste de mei prist,

---

336 dont: *d'où;* aïe: *aide*
338 trara: *tirera*
339 mesfis: *fis mal*
340 estre: *rester*
341 que gaires vaille: *qui puisse être assez fort pour me sauver*
344 entrer em plait: *présenter ma défense*
346 maleeit: *maudit*
350 trait: *soupçon*
352 qui me traie del plait a fin: *qui puisse me tirer du litige*
353 aït: *aide*
354 traït: *trahit*
357 desvee: *folle*
359 car arse fust iceste coste: *je voudrais que cette côte ait été brûlée*
360 poste: *circonstances*
361 fu: *feu*
362 basti: *causé;* meslee: *lutte*

Por que ne l'arst e mei oscist?
La coste ad tut le cors traï, 365
E afolé e mal bailli.
Ne sai que die ne ke face;
Si ne me vient del ciel la grace,
Ne puis estre gieté de paine:
Tel est li mals que me demaine. 370
Aï! Eve! Cum a male ore,
Cume grant peine me curt sore,
Quant onques fustes mi pareil.
Or sui perriz par ton conseil.
Par ton conseil sui mis a mal, 375
De grant haltesce mis a val.
N'en serrai trait par home né,
Si Deu nen est de majesté.
Que di jo, las? Por queil nomai?
Il m'aidera? Corocié l'ai. 380
Ne me ferat ja nul aïe,
For le filz qu'istra de Marie.
Ne sai de nul prendre conrei,
Quant a Deu ne portames fei.
Or en seit tot a Deu plaisir, 385
N'i ad conseil que del morir.

Tunc incipiat chorus:

Alors, que le chœur commence:

Dum deambularet Dominus in paradiso . . .

Tandis que Dieu se promenait dans le paradis . . .

Quo dicto, veniet figura stola[m] habens, et ingredietur paradisum circumspiciens, quasi quereret ubi esset Adam. Adam vero et Eva latebunt in angulo paradisi, quasi suam cognoscentes miseriam, et dicet Figura:

Cela fait, que la Figure s'avance, vêtue d'une étole. Elle entrera dans le paradis, en regardant autour de lui comme pour chercher où se trouve Adam. Adam et Eve se cacheront dans un coin du paradis comme s'ils se rendent compte de leur malheur. Et la Figure dira:

---

365 traï: *trahi*
366 mal bailli: *maltraité*
367 die: *dise;* face: *fasse*
369 gieté: *tiré*
370 demaine: *tourmente*
371 a male ore: *malheuresement*
372 curt sore: *accabla*
374 perriz: *perdu*
376 a val: *en bas*
377 trait: *sauvé*
379 nomai: *invoquai*
382 istra: *naîtra*
383 conrei: *aide*

Adam, u es?

Tunc ambo surgent stantes contra Figuram, non tamen omnino erecti sed ob verecondiam sui peccati aliquantulum curvati et multum tristes, et respondeat Adam:	*Alors, tous les deux, très tristes et leur corps pas entièrement droit mais un peu courbé sous les poids de leur péché, se présenteront devant la Figure. Et Adam répondra:*

Ci sui, beal sire,
Repost me sui ja por ta ire,
E por ço que [jo] sui tut nuz,
390 Me sui ici si embatuz.
FIGURA Kë as tu fet? Cum as erré?
Qui t'a toleit de ta bonté?
Quë as tu fet? por quei as honte?
Cum entrerai od tei en conte?
395 Tu nen aveies rien l'autr'ier,
Dont tu deüses vergugnier,
Ore te vei mult triste e morne:
Mal se joïst qui si sojorne.
ADAM Tel vergoine ai, sire, de tei,
400 [Que jo me ceil].
FIGURA E tu por quei?
ADAM Si grant honte mon cors enlace,
Ne t'os veeir, [sire], en la face.
FIGURA Por quei trespassa mon devié?
As [i] tu gaires gaainnié?
405 Tu es mon serf, e jo ton sire.
ADAM [Jo] ne te puis pas contredire.
FIGURA Jo te formai a mon semblant:
Por quei trespassas mon comant?
Jo te plasmai dreit a m'ymage:
410 Por ço me fesis cel oltrage?

---

388 repost: *caché;* por: *à cause de*
390 embautz: *blotti*
392 toleit: *ôté*
394 cum entrerai od tei en conte: *comment réglerai-je ton compte*
396 vergugnier: *avoir honte*
398 mal se joïst qui si sojorne: *il s'amuse mal qui demeure ainsi*
400 ceil: *cache*
402 os: *je n'ose pas*
403 trespassa: *transgressa;* devié: *loi*
409 plasmai: *formai*
410 fesis: *fis;* oltrage: *outrage*

Mun défens tu pas ne gardas,
Delivrement le trespassas.
Le fruit manjas, dunt jo t'ai dit,
Que jol t'aveie contredit.
Por ço quidas estre mon per? 415
Ne sai si tu voldras gabber.

Tunc Adam manu[m] extendet contra Figuram, post ea contra Eva[m], dicens:	*Alors Adam étendra la main vers la Figure, puis vers Eve, disant:*

La Femme que tu me donas,
Ele fist prime icest trespas:
Donat le mei e jo manjai:
Or m'est vivre tornez a gwai. 420
Mal acointai icest mangier:
Jo ai mesfait par ma mollier.

FIGURA Ta mollier creïs plus que mei,
Manjas le fruit sanz mon otrei;
Or te rendrai tel gueredon: 425
La terre avrat maleïçon,
U tu voldras ton blé semer,
El te faldrat al fruit porter;
Iert maleeite soz ta main,
Tu la cotiveras en vain. 430
Son fruit a tei deveerat,
Espines e chardons rendrat,
Changier te voldra ta semence,
Maleeite iert por ta sentence.
Od grant travail, od grant hahan, 435
Tei covendra mangier ton pan;

---

411 défens: *interdiction*
412 delivrement: *exprès*
414 contredict: *défendu*
416 gabber: *plaisanter*
418 prime: *d'abord;* trespas: *péché*
420 gwai: *malheur*
421 acointai: *fus mêlé à*
424 otrei: *permission*
425 gueredon: *récompense*
426 maleïcon: *malédiction*
428 faldrat: *ne réussira pas*
429 maleeite: *maudite*
430 cotiveras: *cultiveras*
431 deveerat: *niera*
434 por ta sentence: *à cause de ton arrêt*
435 hahan: *douleur*
436 pan: *pain*

Od grant painë, od grant suor,
Vivras tu [des or] noit e jor.

Tunc Figura vertet se contra Evam, et minaci vultu ei dicet:	*Alors, la Figure se tournera vers Eve et d'un air menaçant, elle lui dira:*

Et tu, Eve, male mullier,
440 Tost començas de guerreier,
Poi tenis mes comandementz!
EVA Ja m'engingna li mals serpenz.
FIGURA Par lui quidas estre mon per?
Seüs tu ja bien deviner?
445 Or ainz avïez la maistrie
De quanque deit estrë en vie:
Cum l'as tu ja si tost perdue!
Or te vei triste e mal venue;
As [i] tu fet gaain ou perte?
450 Jo te rendrai [bien] ta deserte,
Jo t'en donrai por ton servise;
Mal te vendra en tote guise.
En dolor porteras emfanz,
E em paine vivront lor anz.
455 Tes emfanz en dolor naistront,
E en anguisse finerunt.
En tel hahan, en tel damage
As mis [e] tei e tun lignage;
Toit ceals qui [ja] de tei istront,
460 Li toen pecchié deploreront.

Et respondebit Eva, dicens:	*Et Eve répondra disant:*

Jo sui mesfaite, ço fu par [mon] folage,
Por une pome soffri si grant damage
Qu'en paine met [e] mei e mon lignage.

---

437 painë: effort
438 des or: *dorénavant*
440 guerreier: *me faire la guerre*
441 poi: *peu*
442 engingna: *trompa*
443 quidas: *tu crus*
444 ja bien deviner: *ce qui va t'arriver*
445 maistrie: *maîtrise*
446 quanque: *tout ce qui*
448 mal venue: *inquiète*
457 hahan: *agonie;* damage: *misère*
459 toit ceals: *tous ceux*
460 li toen: *ton*
461 sui mesfaite: *ai mal agi;* folage: *sottise*

Petit aquest me rent grant traüage.
Si jo mesfis, ço ne fu grant merveille, 465
Quant li serpenz suduist ma fole oreille.
Mult set de mal, ne semble pas oëille;
Mal est bailliz qui a lui se conseille.
La pome pris, or sai que fis folie,
Sor ton defens; de ço fis felonie! 470
Mal en gustai; or sui de tei haïe:
Por poi de froit mei covient perdre vie.

Tunc minabitur Figura serpenti, dicens:	*Alors, la Figure menacera le serpent, en disant:*

E tu, serpent, iers maleeit.
De tei reprendrai bien mon dreit.
Sor ton piz te traïneras, 475
A tuz les jors que ja vivras.
La puldre iert tut dis ta vïande
En bois, en plain, [e si] en lande.
Femme te portera haïne,
Oncore t'iert male veisine. 480
Tu son talon aguaiteras,
Cele te sachera le ras;
Ta teste ferra d'itel mail
Qui te ferra mult grant travail.
Encore en prendra bien conrei 485
Cum [se] porra vengier de tei.
Mal acointas tu sun traïn,
El te fera le chief enclin;
Oncor raïz de lui istra,
Qui tes vertuz tost confundra. 490

---

464 aquest: *profit;* traüage: *péage*
466 suduist: *séduit*
467 ne semble pas öeille: *je ne ressemble pas à la brébis*
470 sor ton défens: *contre ta prohibition*
475 piz: *ventre*
477 puldre: *poudre*
478 lande: *désert*
480 veisine: *rencontré*
481 aguaiteras: *guetteras*
482 sachera le ras: *arrachera le dard*
483 ferra: *frappera;* mail: *marteau*
484 ferra: *fera;* travail: *mal*
485 conrei: *moyens*
487 acointas tu sun traïn: *tu te mêlas de sa société*
488 le chief enclin: *baisser la tête*
489 raïz: *rejetor;* istra: *sortira*
490 vertuz: *artifices*

Tunc Figura expellet eos de paradiso, dicens:	*Alors la Figura les chassera du paradis, en disant:*

Ore issez hors de paradis,
Mal change avez fet de païs.
En terre vus ferez maison:
En paradis n'avez raison;
495 N'i avez rien que chalengier.
Fors [en] istrez sen recovrier;
N'i avez rien par jugement,
Or pernez aillors chasement.
Fors issez de bonaürté;
500 Ne vus falt mais faim ne lasté;
Ne vus falt mais dolor ne paine
A toz les jors de la semaine.
En terre avrez malvais sojor,
Aprés morrez al chief del tor;
505 Despois qu'avrez gustee mort,
En emfer irrez sanz deport.
Ici avront les cors eissil,
Les almes en emfern peril.
Satan vus avra en baillie.
510 N'est hom que vus en face aïe,
Par cui seiez vus ja rescos,
Se mei ne prend pitié de vus.

Chorus cantet:	*Que le chœur chante:*
In sudore vultus tui . . .	*A la sueur de ton front . . .*
Interim veniet angelus albis [vestibus] indutus, ferens radientem gladium in manu, quem statuet Figura ad portam paradisi, et dicet ei:	*Dans l'intervalle un ange viendra habillé de blanc, une épée à la main, que la Figure placera à la porte du paradis et lui dira:*

---

492 païs: *pays*
495 chalengier: *revendiquer*
496 sen recovrier: *sans retour*
498 pernez: *prenez;* chasement: *logement*
499 fors issez: *sortez;* bonaürté: *bonheur*
500 falt: *manque;* lasté: *fatigue*
503 sojor: *séjour*
504 morrez: *mourrez;* al chief del tor: *finalement*
505 gustee: *goûté*
506 deport: *retard*
507 eissil: *exil*
508 almes: *âmes*
509 baillie: *puissance*
510 face aïe: *fasse aide*
511 cui: *qui;* rescos: *secouru*
512 se: *si*

Gardez mei bien le paradis,
Que mais n'i entre icist faidis,
Qu'il n'ait mais poëir ne baillie 515
Ne de tochier li fruit de vie;
O cele spee qui flambeie,
Si li defent tres bien la veie.

Cum fueri[n]t extra paradisum, quasi tristes et confusi, incurvati erunt solo tenus super talos suos, et Figura manu eos demonstrabit, versa facie contra paradisum; et chorus incipiet:

Après leur départ du paradis, comme tristes et confus, ils seront courbés, accroupis sur leurs talons. Et la Figure les désigneront de la main, son visage tourné vers le paradis. Et le chœur commencera:

Ecce Adam quasi unus . . .

Voici Adam . . .

Quo finito, Figura regredietur ad ecclesiam. Tunc Adam [habebit] fossorium et Eva rastrum, et incipient colere terram et seminabunt in ea triticum. Postquam seminaverint, ibunt sessum in loco aliquantulum, tanquam fatigati labore, et flebiliter respicient sepius paradisum, percucientes pectora sua. Interim veniet Diabolus et plantabit in cultura aeorum spinas et tribulos, et abscedet. Cum venient Adam et Eva ad culturam suam et viderint ortas spinas et tribulos, vehementi dolore percussi, prosternent se in terra, et residentes percucient pectora sua et femora sua, dolorem gestu fatentes; et incipiet Adam lamentacionem suam:

Cela fait, la Figure rentrera dans l'église. Alors Adam avec une pelle et Eve avec un rateau commerceront à cultiver la terre et à y semer du blé. Après l'avoir semé ils iront, les larmes aux yeux, s'asseoir un peu à l'écart comme fatigués par le travail. Ils regarderont souvent le paradis en se frappant la poitrine. Dans l'intervalle le Diable viendra planter dans leur terre cultivée des épines et des chardons et puis il partira. Alors Adam et Eve viendront à leur terre et verront les plantes sauvages. Au comble du chagrin violent, ils se jetteront à terre et ils se frapperont la poitrine et les cuisses, en faisant des gestes de douleur. Et Adam commencera sa lamentation:

A! Las! Chaitif, tant mal vi unques l'ore,
Que mes pecchiez me sunt [si] coru sore, 520

---

514 icist: *ce;* faidis: *banni*
515 baillie: *maîtrise*
517 spee: *épée*
518 veie: *voie*
519 chaitif: *misérable;* vi: *je vis;* unques: *jamais*
520 sunt coru sore: *ont accablé*

Que jo guerpi le Seignor qu'home aüre;
Qui requerrai ja mes qu'il me socore?

Hic respiciat Adam paradisum, et ambas manus suas elevabit contra eum, et caput pie inclinans dicet:

Qu'Adam regarde le paradis. Puis il y étendra les deux mains et inclinant la tête, il dira avec soumission:

Oi! Paradis! Tant [par es] bel maneir.
Vergier de gloire, tant vus fet bel veeir.
525 Jetez en sui por mon pecchié, por veir;
Del recovrier tot ai perdu l'espeir.
Jo fui dedenz, n'en soi gaires joïr,
Creï conseil qui me fist tost partir;
Or m'en repent, dreit est qui m'en aïr,
530 Ço est a tart, rien ne valt mon sospir.
U fu mon sens, que devint ma memoire,
Que por Satan guerpi le rei de gloire?
Or me travail, ne m'en valt adjutoire;
Li mien pecchié iert escrit en estoire.

Tunc manum contra Eva[m] levabit, que aliquantulum alto erit remota, et cum magna indignacione movens caput dicet ei:

Puis il étendra la main vers Eve qui se trouvera à une petite distance sur une légère éminence et remuant la tête d'une grande indignation il lui dira:

535 Oi! male femme, plaine de traïson!
Tant m'as mis tost en [grant] perdicïon,
Cum me tolis le sens e la raison.
Or m'en repent, ne puis aveir pardon.
Eve dolente, cum fus a mal delivre,
540 Quant tu creïs si tost conseil de guivre!
Par tei sui mort, si ai perdu le vivre;
Li toen pecchié [en] iert escrit eu livre.

---

521 guerpi: *quitta;* aüre: *adore*
522 requerrai: *prierai*
523 maneir: *logement*
524 vus fet del veeir: *vous êtes beau à voir*
526 recovrier: *retrouver*
527 dedenz: *dedans;* soi gaires joïr: *ne sais guère en jouir*
529 aïr: *est fâché*
533 me travail: *je me tourmente;* adjutoire: *aide*
537 tolis: *fait perdre*
539 delivre: *enclin à*
540 guivre: *serpent*
541 le vivre: *la vie*
542 eu: *dans le*

Veiz tu les signes de grant confusïon?
La terre sent nostre maleïçon;
Forment semames, or i naissent chardon; 545
[Forment suames, or a mal gueredon].
De nostre mal veiz le comencement:
Ço'st grant dolors; mais grainior nus atent.
Menez serrums en emfer sanz entent;
Ne nus faldra ne peine ne torment. 550
Eve chaitive, que t'en est a vïaire?
Cest as conquis, donez t'est en duaire.
Ja ne savras vers home bien atraire,
Mes a raison serras tot tens contraire.
Tuz cels qu'istront de [la] nostre lignee, 555
Del toen forfait sentiront la haschiee;
Tu forfesis, a toz ceals est jugiee.
Mult tardera par qui ele iert changiee.

Tunc respondeat Eva ad Adam: | *Alors qu'Eve réponde à Adam:*

Adam, bel sire, mult m'avez blastengiee,
Ma vilainnie retraite e reprochiee. 560
Si jo mesfis, j'en suffre la haschiee;
Jo sui copable, par Deu serrai jugiee.
Jo sui vers Deu e vers tei mult mesfaite,
Ma forfaiture mult iert longe retraite. 564
Ma culpe est grant, mes pecchiez me dehaite.
Chaitive sui, de tut bien ai suffraite.
Nen ai raison que vers Deu me defende,
Que peccheriz culpable ne me rende.
Pardonez mei, kar ne puis faire amende;
Si jol poeie, fereie par offrende. 570

---

544 maleïçon: *malediction*
545 forment: *blé*
546 forment: *fort;* gueredon: *récompense*
548 grainior: *plus grand*
549 entent: *délai*
550 faldra: *manquera*
551 vïaire: *avis*
552 duaire: *dot*
553 atraire: *procurer*
555 istront: *sortiront*
556 haschiee: *punition*
557 forfesis: *péchas;* a toz ceals: *par tous ceux*
559 blastengiee: *blâmée*
560 retraite: *rappelée*
561 mesfis: *péchai*
564 forfaiture: *péché*
565 culpe: *culpabilité;* dehaite: *afflige*
566 suffraite: *manque*
570 poeie: *pouvais;* fereie: *je le ferais*

Jo peccheriz, jo lasse, jo chaitive.
Por [mon] forfet sui vers Deu si eschive;
Mort, car me prend! Ne suffre que jo vive!
Em peril sui, ne puis venir a rive.
575 Li fel serpent, la guivre de mal aire,
Me fist mangier la pome de contraire.
Jo t'en donai, si quidai por bien faire;
Del toen pecchié onc ne te pois retraire.
Por quei ne fui al criator encline?
580 Por quei ne ting, sire, ta discipline?
Tu mesfesis, mes jo sui la racine;
De nostre mal longe en est la mescine.
Le mien mesfait, ma grant mesaventure,
Compera chier la nostre engendreore.
585 Li fruiz fu dulz, la paine est [grant e] dure.
Mal fu mangiez, nostre iert la forfaiture.
Mais neporquant en Deu est ma sperance;
D'icest mesfait car tot iert acordance:
Deus me rendra sa grace e sa mustrance,
590 Nus gietera d'emfer par [sa] pussance.

Tunc veniet Diabolus, et tres vel quatuor diaboli cum eo, deferentes in manibus chatenas et vincula ferrea, quos ponent en colla Ade et Eve. Et quidam eos inpellent, alii eos trahent ad infernum; alii vero diaboli erunt iuxta infernum obviam venientibus, et magnum tripudium inter se facient de eorum perdicione; et singuli alii diaboli illos venientes monstrabunt, et eos suscipient et in infernum mittent; et in eo facient fumum magnum ex[s]urgere, et vociferabuntur inter se

Puis le Diable viendra avec trois ou quatre autres diables qui porteront des chaînes et des anneaux de fer qu'ils attacheront au cou d'Adam et d'Eve. Et quelques-uns les pousseront et d'autres les traîneront vers l'enfer. Mais d'autres diables qui seront près de l'enfer iront à leur rencontre et célébreront la chute avec une grande danse. Quelques-uns les montreront du doigt et d'autres les enverront à l'enfer. Puis on fera élever une grande fumée et on frappera à l'intérieur des pots et des casseroles pour que ce bruit, mêlé de cris de joie, puisse s'entendre. Après

571 lasse: *infortunée*
572 eschive: *humilée*
574 rive: *rivage*
575 guivre: *serpent;* aire: *race*
576 contraire: *malheur*
577 quidai: *crus*
578 retraire: *tirer*
579 encline: *obéissante*
580 ting: *garda*
582 mescine: *guérison*
584 compera chier: *paierai cher;* engendreore: *lignée*
587 neporquant: *néamoins*
588 acordance: *réconciliation*
589 mustrance: *présence*
590 gietera: *tirera*

in inferno gaudentes, et collident caldaria et lebetes suos, ut exterius audiantur. Et, facta aliquantula mora exibunt diaboli discurrentes per plateas; quidam vero remanebunt in inferno.

un peu de retard les diables se promèneront en courant sur la place. Mais quelques-uns d'entre eux resteront dans l'enfer.

Deinde veniet Chaym [et] Abel. Chaym sit indutus rubeis vestibus, Abel vero albis, et colent terram preparatam; et, cum aliquantulum a labore requieverit, alloquatur Abel Chaym fratrem suum blande et amicabiliter, dicens ei:

Puis Caïn et Abel viendront. Caïn, vêtu de rouge, et Abel, vêtu de blanc, laboureront la terre cultivée. Quand il s'est reposé un peu de son travail, qu'Abel parle à Caïn son frère d'une façon agréable et amicale, en lui disant:

Frere Chaym, nus sumes dous germain,
E sumes filz del home premerain:
Ce fu Adam, la mere ot non Evain;
De Deu servir ne seom pas vilain.
Seum tot tens subject al criator 595
Ensi servum que conquerroms s'amor,
Que nos parenz perdirent par folor.
Entre nos [dous] si seit bien ferme amor.
Si servum Deu que li vienge a plaisir;
Rendom ses dreiz, ne seit riens del tenir. 600
Se de bon cuer le voloms obeïr,
N'avront poür nos almes de perir.
Donum sa disme e tute sa justise,
Primices, dons, offrendes, sacrifice;
Si del tenir nos prent ja coveitise, 605
Perdu serroms en emfer sen devise.
Entre nos dous ait grant dilectïon;

591 dous: *deux*
594 seom: *soyons;* vilain: *méprisants*
595 subject: *soumis*
599 li vienge a plaisir: *li lui plaise*
600 tenir: *retenir*
601 le: *lui*
602 poür: *peur*
603 disme: *dîme*
604 primices: *prémices*
605 coveitise: *désir*
606 sen devise: *sans retour*
607 dilectïon: *affection*

N'i seit envie, n'i seit detractïon;
Por quei avreit entre nus dous tençon?
610 Tote la terre nos est mise a bandon.

Tunc respiciet Chaym fratrem suum Abel, quasi subsan[nan]s, et dicet ei:	*Alors Caïn regardera son frère d'un certain air moqueur et dira:*

Beal frere Abel, bien savez sermoner,
Vostre raison asseir e mustrer;
Vostre doctrine s'est qui voille escoter,
En poi de jorz avra poi que doner.
615 Disme doner ne me vint onc a gré.
Del toen aveir poëz faire ta bonté.
E jo del mien ferai ma volenté;
Par mon mesfait ne serras tu dampné.
De nus amer nature nus enseigne,
620 Entre nos dous nen ait nul que se feigne.
Qui entre nus comencera bargaigne,
Tres bien l'achat, ke dreiz est qu'il s'en pleigne.

Iterum alloquatur Abel fratrem suum Chaym; cum micius solito respond[er]it, dicet:	*Qu'Abel parle de nouveau à son frère. D'une voix de plus en plus douce il lui dira:*

Chaïm, bel frere, entent a mei.
CHAÏM Volentiers, ore di de quei?
625 ABEL Ço est ton pru.
CHAÏM Tant m'est plus bel.
ABEL Ne faire ja vers Deu revel!
Nen aies envers lui orguil!
Jo t'en chasti.
CHAÏM Jo bien le voil.

608 detractïon: *désaccord*
609 tençon: *dispute*
610 mise a bandon: *abandonné*
612 asseir: *établir;* mustrer: *exposer*
613 s'est qui: *quiconque*
615 a gré: *volontiers*
616 aveir: *propriété;* bonté: *générosité*
620 nen ait nul que se feigne: *qu'il n'y ait aucune feinte*
621 bargaigne: *lutte*
622 tres bien l'achat: *qu'il le paie cher*
624 ore: *maintenant*
625 ço est ton pru: *il s'agit de ton profit*
626 revel: *rebellion*
628 chasti: *prie*

ABEL Crei mon conseil, aloms offrir
A Dampne Deu por lui plaisir. 630
Si est vers nos [tot] apaiez,
Ja ne nus reprendra pecchiez,
Ne sor nus ne vendra tristor:
Mult fait bon porchacier s'amor;
Aloms offrir a son alter 635
Tel don qu'il voille regarder;
Preom lui qu'il nus doinst s'amor
E nus defende noit e jor.

Tunc respondebit Chaim, quasi conplacuerit ei consilium Abel, dicens:	*Alors, Caïn répondra comme si le conseil d'Abel lui plaît, en disant:*

Bel frere Abel, mult as bien dit,
Icest sermon as bien escrit, 640
E jo crerai bien ton sermon.
Alom offrir, bien est raison.
Qu'offriras tu?

ABEL Jo un agnel,
Tuit le meillor e le plus bel
Que porrai trover a l'ostel; 645
Cel offrirai, ne ferai el;
[E] si lui offrirai encens.
Or vus ai dit tot mon porpens.
Tu qu'offriras?

CHAÏM Jo de mon blé,
Itel cum Dex le m'a doné. 650

ABEL Iert del meillor!

CHAÏM Nenil, por veir;
De cel ferai jo pain al seir.

ABEL Tel offrende n'est acceptable
[A Dampne Deu].

CHAÏM Ja est ço fable.

---

630 plaisir: *plaire*
631 apaiez: *satisfait*
634 fait bon porchacier: *il est bon de poursuivre*
635 alter: *autel*
637 doinst: *donne*
643 agnel: *agneau*
645 ostel: *bergerie*
646 el: *autrement*
648 porpens: *intention*
651 iert del: *il pouvait être quelque chose de*
652 al seir: *le soir*

655 ABEL Riches hom es e mult as bestes.
CHAÏM Si ai.
ABEL Or conte totes testes,
E de totes done la disme!
Si offre la a Deu meïsme,
Offre la lui de cuer entier,
660 Si recevras [mult] bon luier.
Feras le tu?
CHAÏM Oëz furor.
[La disme offrir sereit folor:]
De dis ne remaindront que noef.
Icist conseil ne valt un oef.
665 Alom offrir chescons por sei
Quë il voldra.
ABEL E jo l'otrei.

Tunc ibunt ad duos magnos lapides qui ad hoc erunt parati. Alter ab altero lapide erit remotus, ut cum aparuerit Figura, sit lapis Abel ad dexteram eius, lapis vero Chaim ad sinistram. Abel offeret agnum et incensum, de quo faciet fumum ascendere. Chaym offeret maniplum messis. Apparens itaque Figura benedicet munera Abel et munera vero Chaym despiciet. Unde post oblacionem, Chaym torvum vultum geret contra Abel, et, factis oblacionibus suis, ibunt ad loca sua. Tunc veniet Chaym ad Abel, volens educere callide [eum] foras ut eum occidat, et dicet ei:

Alors ils iront à deux grosses pierres préparées à ce but. L'une des pierres sera à l'écart de l'autre pour que, quand la Figure apparaîtra la pierre d'Abel puisse être à la droite mais celle de Caïn à la gauche. Abel offrira un agneau et de l'encens dont il fera monter de la fumée. Caïn offrira une gerbe de blé. La Figure, se montrant, bénira le don d'Abel et rejettera celui de Caïn. Après le sacrifice, Caïn regardera Abel d'un air féroce. La cérémonie terminée, chacun s'en ira de son côté. Puis Caïn viendra à Abel, en cherchant à l'entraîner dehors d'une façon trompeuse pour le tuer. Et il lui dira:

Bel frere Abel, issum ça fors.
ABEL Por quei?
CHAÏM Por deporter nos cors

656 conte: *compte;* testes: *les têtes*
657 disme: *le dixième*
659 cuer: *cœur*
660 luier: *récompense*
661 furor: *la folie*
663 dis: *dix;* noef: *neuf*
665 chescons por sei: *chacun pour soi-même*
666 e jo l'otrei: *soit*
667 issum: *sortons*
668 deporter: *rafraîchir*

E reguarder nostre labor,
Cum sunt creü, s'il sunt em flor. 670
As prees puis [fors] en irrums,
Plus legier aprés en serroms.

ABEL J'irrai od tei, u tu voldras.
CHAÏM Or en vien donc, bon le feras.
ABEL Tu es mi freres li ainez, 675
Jo ensivrai tes volentez.
CHAÏM Or va avant, j'irrai aprés
Le petit pas, a grant relais.

Tunc ibunt ambo ad locum remotum et quasi secretum, ubi Chaim quasi furibundus irruet in Abel volens eum occidere, et dicet ei:	*Puis, tous les deux iront à un lieu isolé, presque secret, où Caïn, comme un furieux, se précipitera sur Abel pour le tuer et lui dira:*

Abel, morz es.
ABEL E jo por que?
CHAÏM Jo me voldrai vengier de tei. 680
ABEL Sui jo mesfait?
CHAÏM Oïl, asez.
Tu es traïtres tot provez.
ABEL Certes non sui.
CHAÏM Dis tu que non?
ABEL Unc ne ferai jo traïson.
CHAÏM Tu la fesis. 685
ABEL E jo coment?
CHAÏM Tost le savras.
ABEL Je ne l'entent.
CHAÏM Jol tei ferai mult tost saveir.
ABEL Ja nel porras prover por veir.
CHAÏM La prove est pres.
ABEL Deus m'aidera.
CHAÏM Jo t'occirai. 690
ABEL Deu le savra.

Tunc eriget Chaim dextram minacem contra eum, dicens:	*Alors, Caïn élèvera la main d'une façon menaçante contre lui, disant:*

670 creü: *cru*
671 prees: *prés*
676 ensivrai: *suivrai*
678 a grant relais: *sans te presser*
686 entent: *comprends*

Vei ci qui fera la provence.
ABEL En Deu est tote ma fiance.
CHAÏM Vers mei t'avra il poi mestier.
ABEL Bien te poet faire destorbier.
695 CHAÏM Ne [te] porra de mort guenchir.
ABEL Del tut me met a son plaisir.
CHAÏM Vols oïr por quei t'oscirai?
ABEL Or le me di.
CHAÏM Jol te dirrai.
Trop te fesis de Deu privé,
700 Por tei m'a il tot refusé,
Por tei refusa il m'offrende.
Pensez vus donc que nel te rende?
Jo t'en rendrai le gueredon:
Mort remaindras oi au sablon.
705 ABEL Si tu m'ocis, ço iert a tort,
Deu vengera en tei ma mort.
Ne [te] mesfis, Deu le set bien,
Vers lui ne te meslai de rien;
Ainz dis que fesisses tel faiz,
710 Que fusses digne de sa paiz;
A lui rendisses ses raisons:
Dismes, primices, oblacïons.
Por ço avreies tu s'amor.
Tu nel fesis, or as iror.
715 Deux est verais; qui a lui sert,
Tres bien l'empleie, pas nel pert.
CHAÏM Trop as parlé, sempres morras.
ABEL Frere que dis? Tu me minas,
Jo vinc ça fors en ta creance.

---

691 provence: *épreuve*
693 poi mestier: *peu de secours*
694 destorbier: *obstacle*
695 guenchir: *garantir*
696 met: *soumets*
697 vols: *veux tu*
699 privé: *intime*
702 nel te rende: *je ne me vengerai pas*
703 gueredon: *récompense*
704 oi: *aujourd'hui;* sablon: *terre*
708 meslai: *brouillai*
709 ainz dis que fesisses tel faiz: *au contraire, je te conseillai de faire une offrande*
710 paiz: *paix*
711 raisons: *droits*
712 primices: *prémices*
714 iror: *colère*
716 pert: *périt*
717 sempres: *aussitôt*
718 minas: *menaces*
719 jo vinc ça fors en ta creance: *je vins là me fiant à toi*

CHAÏM Ja ne t'avra mestier fiance. 720
Jo t'oscirai, jo tei defi.

ABEL Deu pri qu'il ait de mei merci.

Tunc Abel flectet genua ad orientem; et habebit ollam coopertam pannis suis, quam percuciet Chaim, quasi ipsum Abel occideret. Abel autem iacebit prostratus, quasi mortuus.

Alors Abel fléchira le genou vers l'orient et il aura une outre, cachée par ses vêtements, que Caïn frappera comme s'il veut tuer Abel. Puis Abel se laissera tomber comme mort.

Chorus cantabit:

Le chœur chantera:

Ubi est Abel, frater tuus?

Où est Abel, ton frère?

Interim ab ecclesia veniet Figura ad Chaym, et postquam chorus finierit responsum, quasi iratus dicet ei:

Dans l'intervalle la Figure viendra de l'église à Caïn et après que le chœur a fini ses chants, il lui dira comme si en colère:

Chaïm, u est ton frere Abel?
Es tu ja entrez en revel?
As comencié vers mei estrif? 725
Or me mostre ton frere vif?

CHAÏM Que sai jo, sire u est alez
S'est a maison u a ses blez?
[E] jo por quei le dei trover?
Ja nel deveie pas garder. 730

FIGURA Que as tu fet? u l'as tu mis?
Jo sai [mult] bien, tu l'as occis.
Son sanc en fait a mei clamor,
Al ciel m'en vient ja la rimor.
Mult en fesis grant felonie, 735
Maleeit iers tote ta vie.
Toz jorz avras maleïçon:
A tel mesfait tel gueredon.
Mais [jo] ne voil quë hom t'occie,

---

720 mestier fiance: *besoin de ma confiance*
724 revel: *rébellion*
729 dei: *dois*
730 deveie: *devais*
732 occis: *tué*
733 fait . . . clamor: *porte plainte*
734 rimor: *bruit, rumeur*
736 maleeit: *maudit*
737 maleïcon: *malédiction*

740 Mais en dolor dorges ta vie.
Que onques Chaïm oscira,
A set doble le penera.
Ton frere as mort en ma creance,
Griés en serra ta penitance.

Tunc Figura ibit ad ecclesiam. Venientes autem diaboli ducent Chaim sepius pulsantes ad infernum, Abel vero ducent micius.

Alors la Figure ira à l'église. Puis les diables viendront et traîneront Caïn, en le frappant souvent, à l'enfer. Mais ils emmèneront Abel plus doucement.

❧

Tunc erunt parati prophete in loco secreto singuli, sicut eis convenit. Legatur in choro lectio:

Les prophètes seront tenus prêts dans un endroit secret selon l'ordre dans lequel ils doivent paraître. Que le chœur lise la réponse:

Vos, inquam, convenio, o Judei . . .

Je vous dis, je vous parle, O Juifs . . .

Et vocentur per nomen prophete; et cum processeri[n]t, honeste veniant et prophecias suas aperte et distincte pronuncient. Veniet itaque primo Abraham, senex cum barba prolixa, largis vestibus indutus, et cum sederit in scamno aliquantulum, alta voce incipiat propheciam suam:

Que les prophètes soient nommés et quand ils s'avancent, qu'ils entrent d'un air majestueux et poussent leur prophétie d'une voix claire et précise. Abraham paraîtra le premier, un vieux à la barbe longue, habillé d'un large vêtement. Après s'être assis quelques instants sur un banc, qu'il commence sa prophétie d'une haute voix:

Possidebit semen tuum portas inimicorum suorum, et in semine [tuo] benedicentur omnes gentes.

Votre sémence possédera les portes de l'ennemi et tout le monde sera béni dans votre sémence.

745 Abraham sui, eissi ai non.
Or entendez tuit ma raison:

---

740 dorges: *dures, passes*
741 que: *qui*
742 set doble: *sept diables;* penera: *souffrira de grandes douleurs*
743 en ma creance: *croyant en moi*
744 griés: *pénible*
745 non: *nom*

Qui en Deu ad bone sperance,
Tienge sa fei e sa creance.
Qui en Deu avra ferme fei,
Deus ert od lui, jol sai par mei. 750
Il me tempta, jo fis son gré,
Bien acompli sa volenté.
Occire vols por lui mon filz:
Mais par lui en fui contrediz;
Jol vols offrir por sacrefise: 755
Deu le m'a torné a justise.
Deu m'a pramis, e bien iert veirs,
Ancore istra de mei tel eirs
Qui veintra tot ses enemis;
Ensi iert fort e poëstifs. 760
Lor portes tendra en ses mains:
En lor chastels n'iert pas vilains.
T'el homme istra de ma semence,
Qui changera nostre sentence:
Par cui serra li mond salvez, 765
Adam de peine delivrez;
Les genz de tote nascïon
Avront par lui beneïçon.

His dictis, modico facto intervallo venient diaboli et ducent Abraham ad infernum.
Tunc veniet Moyses ferens in dextra virgam et in sinistra tabulas. Postquam sederit, dicat propheciam suam:

Cela dit, après une brève intervalle des diables viendront emmener Abraham à l'enfer. Alors, Moïse viendra, une verge à la main droite et les tables de la loi à la gauche. Après s'être assis, il dira sa prophétie:

Prophetam suscitabit deus de f[rat]ribus vestris, tamquam me ipsum audietis.

Dieu vous donnera un prophète de votre nation et de vos frères qui me ressemblera; vous l'entendrez parler.

747 sperance: *espoir*
750 ert od: *sera avec*
751 gré: *désir*
754 fui: *étais*
757 iert veirs: *sera vrai*
758 istra: *sortira;* eirs: *héritier*
759 veintra: *vaincra*
760 poëstifs: *puissant*
764 sentence: *destin*
765 cui: *qui;* salvez: *sauvé*
766 peine: *difficulté*
768 beneïçon: *bénédiction*

Ço que vos di, par Deu le vei:
770 De nos freres, de nostre lei,
Deus resuscitera un homme;
Il iert prophete, cë iert la somme.
Del ciel savra toit le secrei:
Lui devez creire plus que mei.

Dehinc ducetur a diabolo in infernum. Similiter omnes prophete. Tunc veniet Aaron, episcopali ornatu, ferens in manibus suis virgam cum floribus et fructu; sedens dicat:

Le diable le conduira en enfer. Il fera ainsi pour tous les prophètes. Alors Aaron viendra en vêtements épiscopaux, une verge chargée de fleurs et de fruits à la main; après s'être assis, il dira:

Hec est virga gignens florem
Qui salutis dat odorem.
Hujus virge dulcis fructus
Nostre mortis terget luctus.

Voici la verge qui produit les fleurs dont le parfum donnera le salut. Le fruit doux de cette verge détruira notre mort.

775 Iceste verge senz planter
Poët faire flors e froit porter.
Tel verge istra de mon lignage,
Qui a Satan fera damage:
Qui sanz charnal engendreüre,
780 D'home portera la nature.
Iço'st fruit de salvacïon,
Cui Adam trarra de prison.

Post hunc accedat David, regis insigniis et diademate ornatus, et dicat:

Après Aaron que David s'avance, revêtu des insignes royaux et la tête couronnée du diadème et il dira:

Veritas de terra orta est, et justicia de celo prospexit. Et enim dominus dabit benignitatem, et terra nostra dabit fructum suum.

La vérité est sortie de la terre et la justice a regardé du ciel. Car Dieu donnera sa bonté et notre terre produira son fruit.

---

769 vei: *vois*
772 cë iert la somme: *il résumera tout en lui*
773 toit le secrei: *tous les secrets*
782 cui: *qui;* trarra: *tirera*

De terre istra la verité
E justice de majesté.
Deus [nos] durra benignité; 785
Nostre terre dorra son blé;
De son furment dorra son pain,
Qui salvera les filz Evain;
Cil iert sire de tote terre,
Cil fera pais, destruira guere. 790

Procedat postea Salomon, eo ornatu quo David processit, tamen ut videatur iunior, et sedens dicat:	*Alors, que Salomon s'avance, revêtu des mêmes vêtements que David; il semblera être plus jeune et assis il dira:*
Cum essetis ministri regni dei, non recte judicastis, neque custodistis legem justicie, neque secundum voluntatem dei ambulastis. [Horrende] et cito apparebit vobis, quoniam judicium durissimum his qui presunt fiet. Exiguo enim conceditur misericordia.	*Bien que serviteurs du regne de Dieu, vous n'avez pas jugé honnêtement, vous n'avez pas préservé la loi de justice, vous n'avez pas suivi la voie du Seigneur. Par conséquent un jugement sévère se manifestera pour vous d'une façon terrible et rapide. L'humble recevra la pitié.*

Judeu, a vus dona Dex lei,
Mais vus ne li portastes fei;
De son regne vus fist baillis,
Car mult estïez bien asis;
Vos ne jujastes par justise, 795
Encontre Deu iert vostre asise;
Ne fesistes sa volenté,
Mult fu grant vostre iniquité.
Ço que fesistes tut parra;
Car mult dor vengement serra 800
En cels qui furent li plus halt:
Il prendront toit un malvais salt.

---

785 durra benignité: *donnera sa bénédiction*
787 furment: *froment*
789 cil: *celui-ci*
790 pais: *paix*
791 Judeu: *Juifs;* lei: *loi*
792 fei: *fidelité*
793 baillis: *maîtres*
794 asis: *raisonnable*
795 jujastes: *jugeâtes*
799 parra: *paraîtra*
800 dor: *dur*
801 en cels: *pour ceux*
802 toit: *tout;* salt: *saut*

Del petit avra Dex pitié,
Mult le rendra esleecié.
805 La prophecie averera,
Quant le Filz Deu por nos morra.
Cil que sunt maistre de la lei,
Occirunt lui par male fei.
Contre justise, contre raison
810 Mettrunt le en cruiz cume laron.
Por ço perdrunt lor seignorie,
Quë il avrunt de lui emvie.
De grant haltor vendront em bas,
Mult se porrunt tenir por las.
815 Del povre Adam avra pitié,
Deliverat lui de pecchié.

Post nunc veniet Balaam, senex largis vestibus indutus, sedens super asinam; et veniet in medium et eques dicet propheciam suam:	*Après viendra Balaam, un vieillard habillé d'amples vêtements, assis sur une ânesse. Il s'avancera au milieu de la scène et dira sa prophétie:*
Orietur stella ex Jacaob, et consurget virga de Israel, et percuciet duces Moab, vastabitque omnes filios Seth.	*Une étoile s'élèvera de Jacob et une verge d'Israël. Celle-ci frappera les chefs de Moab et tuera tous les fils de Seth.*

De Jacob istra une steille,
Del fu del ciel serra vermeille;
E surdra verge d'Israël,
820 Qui a Moab fera revel,
E lor orguil abaissera;
Car d'Israël Cristus istra,
Qui ert esteille de clarté:
Tot ert de lui enluminé.
825 Les soens feeils bien conduira,
Ses enemis toit confundra.

---

804 esleecié: *joyeux*
805 averera: *vérifiera*
808 occirunt: *tueront*
810 cruiz: *croix*
814 las: *malheureux*
817 istra: *sortira*
818 fu: *feu*
820 revel: *rébellion*
825 les soens feeils: *ses fidèles*
826 toit: *tous*

Deinc accedat Daniel, etate juvenis, habitu vero senex; et cum sederit, dicat propheciam suam, manum extendens contra eos a[d] quos loquitur:

Ensuite Daniel viendra, jeune mais habillé comme un vieillard. Après qu'il s'est assis, il dira sa prophétie, en étendant sa main vers ceux à qui il parle:

Cum venerit sanctus sanctorum, cessabit unctio vestra.

Quand viendra le plus saint, votre dévotion fausse cessera.

A vus, Judeu, di ma raison,
Qui vers Deu estes trop felon:
Des sainz quant vendra tot li maires
Dont sentirez vos granz contraires; 830
Donc cessera vostre oncïon;
N'i poëz pas clamer raison.
Ço'st Crist que li saint signifie,
Tuit feeil par lui avront vie.
Por son pople vendra en terre, 835
Vostre gent li ferunt grant guere,
Il le mettront a passïon:
Por ce perdrunt lor oncïon.
Evesque n'avront pois ne rei,
Ainz perira par els lor lei. 840

Post hunc veniet Abacuc, senex et sedens; cum incipiet propheciam suam, eriget manus contra ecclesiam admiracionem simula[n]s et timorem. Dicat:

Ensuite Abacuc viendra, vieux et vénérable. Quand il commencera sa prophétie il lèvera les mains vers l'église en simulant l'admiration et le respect. Il dira:

Domine, audivi auditum tuum et timui. Consideravi opera tua et expavi. In medio duum animalium cognosceris.

Seigneur, j'entendis ta parole et je craignis. Je regardai ton œuvre et j'en eus peur. On te reconnaîtra entre deux animaux.

De Deu ai oïe novele;
Tot trublee en ai la cervele.
Tant ai esgardee cest'ovre,
Qu'en grant poür li cuer m'en ovre.

---

829 tot li maires: *le plus grand*
830 contraires: *calamités*
831 oncïon: *fausse dévotion*
832 clamer raison: *prétendre*
834 tuit feeil: *tous les fidèles*
839 pois ne rei: *puis ni roi*
844 poür: *peur;* ovre: *bat*

845 Entre dous bestes iert veüz,
Par tot le mond iert coneüz
Cil de cui ai si grant merveille,
Iert demostré par une esteille;
Pastor le troverunt en cresche,
850 Qui iert trenchiee en piere secche,
U mangerunt les bestes fain.
Pois se fera as reis certain:
La steille i amerrat les reis,
Offrende aporterunt tot treis.

Tunc ingredietur Jheremias, ferens rotulum carte in manu, et dicat:

Alors Jérémie viendra, portant un rouleau de papier et qu'il dise:

Audite verbum domini, omnis Juda, qui ingredimini per portas has, ut adoretis deum.

Ecoutez le verbe de Dieu, tous les hommes de Judée qui entrent par ces portes pour adorer Dieu.

Et manu monstrabit portas ecclesiae.

Et il indiquera les portes de l'église.

Hec dicit Dominus Deus exercituum, Deus Israel: Bonas facite vias vestras et studia vestra, et habitabo vobiscum il loco isto.

Ainsi dit le Seigneur, Dieu des armées, Dieu d'Israël: Améliorez vos habitudes et vos actions et je demeurerai avec vous dans ce lieu.

855 Oëz de Deu sainte parole
Tot vus qui estes de sa scole,
Del bon Judé la grant lignee,
Vus qui estes de sa maisniee,
Par ceste porte volez entrer,
860 Por nostre seignor aürer,
Li sires del host vus somont,
Deu d'Israël, del ciel amont:
Faites bones les vostres veies,

---

845 dous bestes: *deux animaux;* veüz: *vu*
847 cil de cui: *celui de qui*
849 cresche: *crèche*
851 fain: *foin*
852 se fera as reis: *se révélera aux rois*
853 amerrat: *amènera*
855 oëz: *entendez*
856 de sa scole: *ses suivants*
858 maisniee: *ménage*
860 aürer: *adorer*
862 amont: *au plus haut*
863 veies: *voies*

Seient dreites [si] cumme reies;
Seient netz les vostres curages, 865
Que vus ne vienge nuls damages;
Vostre studie seit en bien,
De felonie n'i ait rien.
Se si le faites, Dex vendra,
Ensemble od vus habitera. 870
Li Filz de Deu, li glorius,
En terre descendra a vos;
Od vus serra cum hom mortals,
Li sires li celestïals.
Adam trara de [sa] prison, 875
Son cors dorra por raançon.

Post dunc veniet Ysaias ferens librum in manu, magno indutus pallio; et dicat propheciam suam:	*Puis Isaïe viendra, un livre à la main, revêtu d'un grand manteau. Et qu'il dise sa prophétie:*
Egredietur virga de radice Jesse, et flos de radice ejus ascendet, et requiescet super eum spiritus domini.	*Il sortira une verge de la racine de Jesse et une fleur sourdra de cette racine et l'esprit de Dieu se reposera sur lui.*

Or vus dirrai merveillus diz:
Jessë fera de sa raïz
Vergë issir qui fera flor,
Qui ert digne de grant unor. 880
Saint espirit l'avra si clos,
Sor ceste flor iert sun repos.

Tunc ex[s]urget quidam de sinagoga, disputans cum Ysaia, et dicet ei:	*Alors quelqu'un sortira de la synagogue, en se disputant avec Isaïe et il lui dirai:*

[JUDEUS] Or me respond, sire Ysaïe,
Est ço fablë u prophecie?
Que est iço que tu as dit? 885

864 reies: *sillons*
865 netz: *purs;* curages: *cœurs*
866 damages: *danger*
867 studie: *effort*
875 trara: *tirera*
876 dorra: *donnera*
877 diz: *paroles*
878 raïz: *racine*
881 avra si clos: *couvrira*

Truvas le tu u est escrit?
Tu as dormi, tu le sonjas?
Est ço a certes u as gas?

YSAÏAS Ço n'est pas fable, ainz est tut veir.

890 JUDEUS Or le dus fai donques veeir.

YSAÏAS Ço quë ai dit est prophecie.

JUDEUS En livre escrite?

YSAÏAS Oïl, de vie.
Nel sonjai pas, ainz l'ai veü.

JUDEUS E tu coment?

YSAÏAS Par Deu vertu.

895 JUDEUS Tu me sembles viel redoté,
Tu as le sens [tres] tot trublé.
Tu me sembles devineor,
Sez bien garder al mireor;
Or me gardez en ceste main,

Tunc ostendet ei manum suam: | *Alors il lui étendra la main:*

900 Si j'ai le cuer malade u sain?

YSAÏAS Tu as le mal de felonie,
Dont ne garras ja en ta vie.

JUDEUS Sui jo malade?

YSAÏAS Oïl, d'errur.

JUDEUS Quant en garrai?

YSAÏAS Ja mes nul jor.

905 JUDEUS Or comence ta devinaille.

YSAÏAS Ço que jo di nen iert pas faille.

JUDEUS Or nus redi ta visïon
Si ço est vergë u baston,
E de sa flor que porra nestre;

910 Nos te tendrom puis por [un] maistre,
E ceste generacïon
Escutera puis ta leccon.

YSAÏAS Or escutez la grant merveille,

---

888 gas: *plaisanterie*
889 ainz: *plutôt;* veir: *vrai*
890 veeir: *voir*
895 redoté: *radoteur*
897 devineor: *devin*
898 sez bien garder al mireor: *tu sais découvrir l'avenir*
902 garras: *guériras*
904 garrai: *guérirai*
905 devinaille: *prophétie*
906 nen iert pas faille: *arrivera*
908 baston: *bâton*
909 nestre: *naître*
912 leccon: *discours*

Si grant n'oït [ja] mais oreille;
Si grant ne fu onc mais oïe, 915
Des quant comença ceste vie:

Ecce virgo concipiet in utero et pariet filium et vocabitur nomen ejus Em[m]anuhel.	*Voilà qu'une vierge concevra et donnera naissance à un fils, et il s'appellera Emmanuel.*

Pres est li tens, n'est pas lointeins,
Ne tardera, ja est sor mains,
Quë une virge concevra,
E virge un filz emfantera. 920
Il avra non Emanuhel,
Message en iert saint Gabrïel.
La pucele iert virge Marie,
Si portera le fruit de vie,
Jhesu, le nostre salvaor. 925
Adam trarra de grant dolor,
Et remetra en paraïs.
Ço que vus di, de Deu l'apris.
Ço iert tot acompli por veir,
En ce devez tenir espeir. 930

Tunc veniet Nabugodonosor ornatus sicut regem [decet]:	*Alors que Nabuchodonosor vienne vêtu comme un roi:*
Nonne misimus tres pueros in fornace ligatos?	*N'avons-nous pas jetté trois enfants au milieu du feu?*
MINISTRI Vero, rex.	MINISTRES *C'est vrai, roi.*
NABUGODONOSOR Ecce video quatuor viros solutos deambulantes in medio ignis, et corrupcio nulla est in eis, et aspectus quarti similis est Filio Dei.	NABUCHODONOSOR *Voilà que je vois quatre hommes qui marchent au milieu du feu et ils ne souffrent pas, et l'aspect du quatrième ressemble au Fils de Dieu.*

914 oït: *entendit dire*
915 oïe: *entendu*
916 des quant: *depuis*
917 tens: *temps*
918 est sor mains: *l'heure arrive*
921 non: *nom*
922 message: *messager*
926 trarra: *tirera*
927 paraïs: *paradis*
929 por veir: *en vérité*

Oëz vertu merveilles grant,
Ne l'oït hom qui seit vivant,
Ço que jo vi des treis emfanz
Qui [jo] fis mettre en fu ardant.
935 Le fu esteit mult fier e grant,
E la flambe clere e bruiant;
Les treis faseient joie grant
La u furent al fu ardant.
Cum jo regart le quart emfant,
940 Qui lor faseit solaz mult grant,
La chiere aveit resplendissant,
Sembleit le Filz de Deu puissant.

(Incomplet)

---

934 fu ardant: *feu brûlant*
935 fier: *fort*
940 solaz: *consolation*
941 chiere: *visage*

Le
Miracle
de Théophile

ci commence

Le Miracle de Théophile

Rutebeuf

c.1261

THEOPHILES Ahi! ahi! Diex, rois de gloire,
Tant vous ai eü en memmoire
Tout ai doné et despendu
Et tout ai aus povres tendu:
Ne m'est remez vaillant un sac. 5
Bien m'a dit li evesque: Eschac!
Et m'a rendu maté en l'angle.
Sanz avoir, m'a lessié tout sangle.
Or m'estuet il morir de fain,
Se je n'envoi ma robe au pain. 10
Et ma mesnie que fera?
Ne sai se Diex les pestera.
Diex? Oïl, qu'en a il a fere?
En autre lieu les covient trere,
Ou il me fet l'oreille sorde, 15
Qu'il n'a cure de ma falorde.

---

3 despendu: *dépensé*
4 tendu: *donné*
5 est remez: *resté*
6 eschac: *échec et mat*
7 rendu maté en l'angle: *fait mal en l'angle de l'échiquier*
8 avoir: *biens;* sangle: *seul*
9 fain: *faim*
10 se: *si;* envoi: *vend*
11 mesnie: *ménage*
12 pestera: *nourrira*
14 covient trere: *convient amener*
15 ou: *puisque;* sorde: *sourde*
16 n'a cure: *ne soucie pas;* falorde: *bavardage*

Et je li referai la moe:
Honiz soit qui de lui se loe.
N'est riens c'on por avoir ne face;
20 Ne pris riens Dieu ne sa manace.
Irai je me noier ou pendre?
Je ne m'en puis pas a Dieu prendre,
C'on ne puet a lui avenir.
Ha! qui or le porroit tenir
25 Et bien batre a la retornee,
Molt avroit fet bone jornee;
Mes il s'est en si haut leu mis
Por eschiver ses anemis
C'on n'i puet trere ne lancier,
30 Se or pooie a lui tancier,
Et combatrë et escremir,
La char li feroie fremir.
Or est lasus en son solaz;
Laz, chetis! et je sui es laz
35 De povreté et de soufrete.
Or est bien ma vïele frete,
Or dira l'en que je rasote;
De ce sera mes la riote;
Je n'oserai nului veoir,
40 Entre gent ne devrai seoir,
Que l'en m'i mousterroit au doi.
Or ne sai je que fere doi:
Or m'a bien Diex servi de guile.

---

17 referai la moe: *ferai la grimace de mon côté*
18 loe: *loue*
19 avoir: *biens;* face: *fasse*
20 ne pris: *je n'estime*
21 noier: *noyer*
22 prendre: *arriver*
23 c': *ainsi;* avenir: *atteindre*
24 tenir: *atteindre*
25 batre a la retornee: *revenir*
27 leu: *lieu*
28 eschiver: *éviter;* anemis: *ennemis*
29 trere: *venir;* lancier: *percer*
30 pooie: *pouvais;* tancier: *me quereller*
31 escremir: *escrimer*
32 fremir: *trembler*
33 lasus: *en haut;* solaz: *solace*
34 laz: *hélas;* chetis: *misérable;* laz: *liens*
35 soufrete: *privation*
36 est bien ma vïele frete: *mon esprit est brisé*
37 rasote: *radote*
38 mes: *jamais;* riote: *cancans*
39 nului: *personne*
40 seoir: séjourner
41 l'en m'i mousterroit au doi: *on me montrerait du doigt*
42 doi: *dois*
43 servi de guile: *trompé*

Ici vient Theophiles a Salatin qui parloit au deable quant il voloit.

SALATINS Qu'est ce? Qu'avez vous, Theophile?
Por le grant Dé, quel mautalent 45
Vous a fet estre si dolent?
Vous soliiez si joiant estre.

Theophile parole

C'on m'apeloit seignor et mestre
De cest païs, ce sez tu bien;
Or ne me lesse on nule rien. 50
S'en sui plus dolenz, Salatin,
Quar en françois ne en latin
Ne finai onques de proier
Celui c'or me veut asproier,
Et qui me fet lessier si monde 55
Qu'il ne m'est remez riens el monde.
Or n'est nule chose si fiere
Ne de si diverse maniere
Que volentiers ne la feïsse,
Par tel qu'a m'onor revenisse; 60
Li perdres m'est honte et domages.

Ici parole Salatins

Biaus sire, vous dites que sages;
Quar qui a apris la richece,
Molt i a dolor et destrece
Quant l'en chiet en autrui dangier 65
Por son boivre et por son mengier:
Trop i covient gros mos oïr.

---

45 Dé: *Dieu;* mautalent: *misère*
46 dolent: *triste*
47 soliiez: *aviez coutume de;* joiant: *joyeux*
49 païs: *pays;* sez: *sais*
50 lesse: *laisse*
52 quar: *car*
53 onques: *jamais;* proier: *prier*
54 asproier: *tourmenter*
55 monde: *dépouillé*
56 remez: *resté*
57 fiere: *terrible*
58 diverse: *étrange*
59 feïsse: *fisse*
60 par tel qu': *pour que*
61 li perdres: *la perte;* domages: *mal*
63 quar qui: *car celui qui;* apris: *connu*
65 chiet en autrui dangier: *tombe sous la dépendance d'un autre;* mengier: *nourriture*
67 gros mos oïr: *entendre des mots durs*

THEOPHILES C'est ce qui me fet esbahir.
Salatin, biaus tres douz amis,
70 Quant en autrui dangier sui mis
Par pou que li cuers ne m'en crieve.
SALATINS Je sai or bien que molt vous grieve,
Et molt en estes entrepris;
Comme hom qui est de si grant pris,
75 Molt en estes mas et penssis.
THEOPHILES Salatin frere, or est ensis:
Se tu riens pooies savoir
Par qoi je peüsse ravoir
M'onor, ma baillie et ma grace,
80 Il n'est chose que je n'en face.
SALATINS Voudriiez vous Dieu renoier,
Celui que tant solez proier,
Toz ses sainz et toutes ses saintes,
Et si devenissiez, mains jointes,
85 Hom a celui qui ce feroit,
Qui vostre honor vous renderoit,
Et plus honorez seriiez.
S'a lui servir demoriiez,
C'onques jor ne peüstes estre.
90 Creez moi, lessiez vostre mestre.
Qu'en avez vous entalenté?
THEOPHILES J'en ai trop bone volenté.
Tout ton plesir ferai briefment.
SALATINS Alez vous en seürement;
95 Maugrez qu'il en puissent avoir
Vous ferai vostre honor ravoir.
Revenez demain au matin.
THEOPHILES Volentiers, frere Salatin.

---

68 esbahir: *avoir peur*
71 crieve: *crève*
72 grieve: *donne de la peine*
73 entrepris: *en mauvais point*
74 pris: *estime*
75 mas: *déprimé*
76 ensis: *ainsi*
77 riens: *quelque chose;* pooies: *pouvais*
79 baillie: *charge*
80 face: *fasse*
81 renoier: *nier*
82 solez: *avez coutume de*
85 hom: *vassal*
87 et: *et bien*
88 demoriiez: *vous absteniez*
89 c': *qu';* onques jor ne: *jamais*
91 entalenté: *décidé*
93 briefment: *à la lettre*
94 seürement: *en sûreté*
95 maugrez: *malgré l'ennui*

Cil Diex que tu croiz et aeures
Te gart, s'en ce propos demeures. 100

Or se depart Theophiles de Salatin et si pensse que trop a grant chose en Dieu renoier et dist:

THEOPHILES Ha! laz, que porrai devenir?
Bien me doit li cors dessenir
Quant il m'estuet a ce venir.
    Que ferai las!
Se je reni saint Nicholas 105
Et saint Jehan et saint Thomas
    Et Nostre Dame
Que fera ma chetive d'ame?
Ele sera arse en la flame
    D'enfer le noir. 110
La la covendra remanoir.
Ci avra trop hideus manoir,
    Ce n'est pas fable.
En cele flambe pardurable
N'i a nule gent amiable; 115
Ainçois sont mal, qu'il sont deable:
    C'est lor nature;
Et lor mesons rest si obscure
C'on n'i verra ja soleil luire;
Ainz est uns puis toz plains d'ordure. 120
    La irai gié!
Bien me seront li dé changié
Quant, por ce que j'avrai mengié.
M'avra Diex issi estrangié
    De sa meson 125
Et ci avra bone reson!
Si esbahiz ne fu mes hom
    Com je sui, voir.

---

99 aeures: *adores*
102 bien me doit li cors dessenir: *je dois bien perdre la raison*
103 il m'estuet a ce venir: *je dois venir à cela*
109 arse: *brûlée*
111 covendra remanoir: *conviendra rester*
112 manoir: *demeure*
114 pardurable: *éternelle*
116 ainçois: *plutôt*
119 c': *ainsi*
120 puis: *puits*
121 gié: *je*
124 estrangié: *éloigné*
127 esbahiz: *affligé*
128 voir: *en vérité*

Or dit qu'il me fera ravoir
130 Et ma richece et mon avoir.
Ja nus n'en porra riens savoir:
Je le ferai!
Diex m'a grevé: jel greverai.
Ja mes jor ne le servirai,
135 Je li ennui.
Riches serai, se povres sui;
Se il me het, je harrai lui;
Preingne ses erres,
Ou il face movoir ses guerres,
140 Tout a en main et ciel et terres;
Je li claim cuite,
Se Salatins tout ce m'acuite
Qu'il m'a pramis.

Ici parole Salatins au deable et dist:

SALATINS Uns crestiens s'est sor moi mis,
145 Et je m'en sui molt antremis;
Quar tu n'es pas mes anemis.
Os tu, Sathanz?
Demain vendra, se tu l' atans;
Je li ai promis quatre tans:
150 Aten le don,
Qu'il a esté molt grant preudon;
Por ce si a plus riche don.
Met li ta richece a bandon.
Ne m'os tu pas?
155 Je te ferai plus que le pas
Venir, je cuit.
Et si vendras encore anuit,

---

131 nus: *personne*
133 grevé: *blessé*
135 ennui: *cause de l'ennui à*
137 het: *hait;* harrai: *haïrai*
138 preingne ses erres: *qu'il prenne ses dispositions*
141 claim cuite: *déclare quitte*
142 acuite: *remplit*
144 s'est sor moi mis: *m'a abordé*
145 antremis: *occupé*
147 os: *entends*
148 atans: *attends*
149 tans: *temps*
150 aten le don: *attends-le donc*
151 grant preudon: *bon chrétien*
153 met li . . . a bandon: *abandonne-lui*
154 os: *entends*
155 plus que le pas: *très vite*
156 cuit: *crois*
157 anuit: *ce soir*

Quar ta demoree me nuit;
S'i ai beé.

Ci conjure Salatins le deable.

Bagahi laca bachahé 160
Lamac cahi achabahé
Karrelyos
Lamac lamec bachalyos
Cabahagi sabalyos
Baryolas 165
Lagozatha cabyolas
Samahac et famyolas
Harrahya.

Or vient li deables qui est conjuré et dist:

LI DEABLES Tu as bien dit ce qu'il i a;
Cil qui t'aprist, riens n'oublia. 170
Molt me travailles.
SALATINS Qu'il n'est pas droiz que tu ne failles,
Ne que tu encontre moi ailles,
Quant je t'apel.
Je te faz bien suer ta pel. 175
Veus tu oïr un geu novel?
Un clerc avons
De tel gaaing com nous savons;
Souventes foiz nous en grevons
Por nostre afere. 180
Que loez vous du clerc a fere
Qui se voudra ja vers ça trere?
LI DEABLES Comment a non?
SALATINS Theophiles par son droit non.
Molt a esté de grant renon 185
En ceste terre.

---

158 demoree: *délai*
159 s'i ai beé: *j'y ai attendu longtemps*
171 travailles: *tourmentes*
172 failles: *manques*
173 encontre: *à l'encontre de*
175 pel: *peau*
176 geu: *jeu*
178 gaaing: *gain*
179 grevons: *nous chagrinons*
180 afere: *affaire*
181 loez: *conseillez*
182 se . . . trere: *se diriger*
183 non: *nom*
185 renon: *renommée*

LI DEABLES J'ai toz jors eü a lui guerre,
C'onques jor ne le poi conquerre
Puis qu'il se veut a nous offerre,
190 Viengne en cel val,
Sanz compaignie et sanz cheval;
N'i avra gueres de travail,
C'est pres de ci.
Molt avra bien de lui merci
195 Sathan et li autre nerci;
Mes n'apiaut mie
Jhesu, le fil sainte Marie,
Ne li ferïons point d'aïe.
De ci m'en vois.
200 Or soiez vers moi plus cortois;
Ne ne traveillier mes des mois,
Va, Salatin,
Ne en ebrieu ne en latin.

Or revient Theophiles a Salatin

THEOPHILES Or sui je venuz trop matin?
205 As tu riens fet?
SALATINS Je t'ai basti si bien bon plet,
Quanques tes sires t'a mesfet
T'amendera,
Et plus forment t'onorera,
210 Et plus grant seignor te fera
C'onques ne fus.
Tu n'es or pas si du refus
Com tu seras encor du plus.
Ne t'esmaier:
215 Va la aval sanz delaier.
Ne t'i covient pas Dieu proier

188 poi: *peux*
189 offerre: *offrir*
190 viengne: *qu'il descende*
192 travail: *peine*
193 ci: *ici*
195 nerci: *noirci*
196 n'apiaut mie: *qu'il n'invoque jamais*
198 aïe: *aide*
199 vois: *vais*
201 mes: *plus*
203 ebrieu: *hébreu*
204 matin: *tôt*
206 basti: *réglé;* plet: *affaire*
207 quanques: *tout ce que;* mesfet: *fait du tort*
208 amendera: *réparera*
211 c': *qu'*
212 du refus: *méprisé*
214 esmaier: *effraie*
215 delaier: *hésitation*

Ne reclamer,
Se tu veus ta besoingne amer.
Tu l'as trop trové a amer,
Qu'il t'a failli. 220
Mauvesement as or sailli;
Bien t'eüst ore mal bailli
Se ne t'aidaisse.
Va t'en, que il t'atendent; passe
Grant aleüre. 225
De Dieu reclamer n'aies cure.

THEOPHILES Je m'en vois. Diex ne m'i puet nuire
Ne riens aidier,
Ne je ne puis a lui plaidier.

Ici va Theophiles au Deable, si a trop grant paor; et li Deables li dist:

LI DEABLES Venez avant, passez grant pas; 230
Gardez que ne resamblez pas
Vilain qui va a offerande.
Que vous veut ne que vous demande
Vostre sires? Il est molt fiers.

THEOPHILES Voire, sire. Il fu chanceliers, 235
Si me cuide chacier pain querre;
Or vous vieng proier et requerre
Que vous m'aidiez a cest besoing.

LI DEABLES Requiers m'en tu?

THEOPHILES Oïl.

LI DEABLES Or joing
Tes mains, et si devien mes hon; 240
Je t'aiderai outre reson.

THEOPHILES Vez ci que je vous faz hommage;
Mes que je raïe mon domage,

---

217 reclamer: *prier*
218 ta besoingne amer: *favoriser ta cause*
220 il: *Dieu*
221 as . . . sailli: *tu es sorti mal*
222 mal bailli: *mal traité*
225 grant aleüre: *vite*
226 reclamer: *supplier;* cure: *envie*
230 grant pas: *vite*
236 me cuide chacier pain querre: *croit m'envoyer promener*
240 hon: *homme*
242 vez ci: *voici;* faz: *fais*
243 més que je raie mon domage: *pourvu que je recouvre mes pertes*

Biaus sire, desorenavant.

LI DEABLES Et je te refaz un couvant,
Que te ferai si grant seignor
C'on ne te vit onques greignor.
Et puis que ainsinques avient,
Saches de voir qu'il te covient
250 De toi aïe lettres pendanz
Bien dites et bien entendanz;
Quar maintes genz m'en ont sorpris
Por ce que lor lettres n'en pris;
254 Por ce les vueil avoir bien dites.

THEOPHILES Vez les ci; je les ai escrites.

Or baille Theophiles les lettres au Deable, et li Deable[s] *li commande a ouvrer ainsi:*

LI DEABLES Theophile, biaus douz amis,
Puis que tu t'es en mes mains mis,
Je te dirai que tu feras.
Ja mes povre homme n'ameras;
260 Se povres hom sorpris te proie,
Torne l'oreille, va ta voie.
S'aucuns envers toi s'umelie,
Respon orgueil et felonie.
Se povres demande a ta porte,
265 Si garde qu'aumosne n'en porte.
Douçor, humilitez, pitiez,
Et charitez et amistiez,
Jeüne fere, penitance,
Me metent grant duel en la pance;
270 Aumosne fere et Dieu proier,
Ce me repuet trop anoier;
Dieu amer et chastement vivre,

---

244 desorenavant: *à partir de ce moment*
245 couvant: *promesse*
247 greignor: *plus grand*
248 ainsinques avient: *il arrive ainsi*
249 de voir: *en vérité*
250 de toi aïe: *pour ton aide;* pendanz: *scellées*
251 dites: *exprimées;* entendanz: *intelligibles*
252 sorpris: *trompés*
254 vueil: *je veux*
260 sorpris: *en détresse*
263 respon: *réponds avec*
268 jeüne fere: faire jeûne
269 duel: *douleur;* pance: *estomac*
271 anoier: *ennuyer*

Lors me samble serpent et guivre
Me menjue le cuer el ventre;
Quant l'en en la meson Dieu entre 275
Por regarder aucun malade,
Lors ai le cuer si mort et fade
Qu'il m'est avis que point n'en sente.
Cil qui fet bien si me tormente.
Va t'en, tu seras seneschaus. 280
Lai les biens et si fai les maus;
Ne jugier ja bien en ta vie,
Que tu feroies grant folie
Et si feroies contre moi.

THEOPHILES Je ferai ce que fere doi. 285
Bien est droiz vostre plesir face,
Puis que j'en doi ravoir ma grace.

Or envoie l'evesque querre Theophile.

LI EVESQUES Or tost lieve sus, Pinceguerre,
Si me va Theophile querre;
Si li renderai sa baillie. 290
J'avoie fet molt grant folie,
Quant je tolue li avoie,
Que c'est li mieudres que je voie;
Ice puis je bien por voir dire.

Or respont Pinceguerre.

PINCEGUERRE Vous dites voir, biaus tres douz sire. 295

Or parole Pinceguerre a Theophile et Theophiles respont.

PINCEGUERRE Qui est ceenz?

---

273 guivre: *vipère*
274 menjue: *mange*
275 la meson Dieu: *hôpital*
276 regarder: *soigner*
277 mort: *insensible;* fade: *indifférent*
278 point n'en sente: *je ne m'en sens pas*
280 seneschaus: *administrateur du temporel de l'évêché*
281 lai: *laisse*
285 doi: *dois*
286 vostre plesir face: *que je fasse votre plaisir*
287 grace: *honneur*
288 tost: *vite;* lieve sus: *lève-toi*
289 querre: *chercher*
290 baillie: *charge*
292 tolue: *ôté*
293 mieudres: *meilleur*
294 ice: *ceci*
296 ceenz: *dedans*

THEOPHILES Et vous qui estes?
PINCEGUERRE Je sui uns clers.
THEOPHILES Et je sui prestres.
PINCEGUERRE Theophile, biaus sire chiers,
Or ne soiez vers moi si fiers.
300 Mes sires un pou vous demande;
Si ravrez ja vostre provande,
Vostre baillie toute entiere.
Soiez liez, fetes bele chiere,
304 Si ferez et sens et savoir.
THEOPHILES Deable i puissent part avoir.
J'eüsse eüe l'eveschié,
Et je l'i mis, si fis pechié.
Quant il i fu, s'oi a lui guerre,
Si me cuida chacier pain querre.
310 Tripot lirot por sa haïne
Et por sa tençon qui ne fine.
G'i irai, s'orrai qu'il dira.
PINCEGUERRE Quant il vous verra, si rira
Et dira por vous essaier
315 Le fist. Or vous reveut paier,
Et serez ami com devant.
THEOPHILES Or disoient assez souvant
Li chanoine de moi granz fables.
319 Je les rent a toz les deables.

Or se lieve l'evesque contre Theophile et li rent sa dignité et dist:

LI EVESQUES Sire, bien puissiez vous venir.
THEOPHILES Si sui je, bien me soi tenir:

---

299 fiers: *fâché*
301 provande: *charge ecclésiastique*
302 baillie: *charge*
303 liez: *content;* chiere: *chère*
305 *Theophile blasphème. Au lieu de dire: "Dieu y ait part," il dit: "les diables y aient part."*
307 l'i mis: *le lui donnai;* pechié: *chose stupide*
308 oi: *avais*
309 me cuida chacier pain querre: *pensa m'envoyer promener*
310 tripot lirot por: *je me moque de*
311 tençon: *querelle;* fine: *termine*
312 orrai: *entendrai*
314 essaier: *éprouver*
315 reveut: *veut de nouveau*
316 devant: *auparavant*
319 rent: *envoie*
321 me soi tenir: *je sais me soigner*

Je ne suis pas cheüs par voie.

LI EVESQUES Biaus sire, de ce que j'avoie
Vers vous mespris jel vous ament,
Et si vous rent molt bonement 325
Vostre baillie. Or la prenez,
Quar preudom estes et senez,
Et quanques j'ai si sera vostre.

THEOPHILES Ci a molt bone patrenostre,
Mieudre assez c'onques més ne dis. 330
Desormes vendront dis et dis
Li vilain por moi aorer,
Et je les ferai laborer.
Il ne vaut rien qui l'en ne doute.
Cuident il je n'i voie goute? 335
Je lor serai fel et irous.

LI EVESQUES Theophile, ou entendez vous?
Biaus amis, penssez de bien fere.
Vez vous ceenz vostre repere;
Vez ci vostre ostel et le mien. 340
Noz richeces et nostre bien
Si seront desormes ensamble;
Bon ami serons, ce me samble;
Tout sera vostre et tout ert mien.

THEOPHILES Par foi, sire, je le vueil bien. 345

Ici va Theophiles a ses compaignons tencier, premierement a un qui avoit non Pierres:

THEOPHILES Pierres, veus tu oïr novele?
Or est tornee ta rouele,

---

322 cheüs par voie: *tombé en route*
324 mespris: *commis;* ament: *répare*
326 baillie: *charge*
327 preudom: *chrétien;* senez: *sensé*
328 quanques: *tout ce que;* vostre: *le vôtre*
329 patrenostre: *prière (sarcastique)*
330 mieudre: *meilleur*
331 desormes: *désormais;* dis: *dix*
332 aorer: *adorer*
333 laborer: *souffrir*
334 doute: *redoute*
335 cuident: *pensent;* goute: *pas du tout*
336 fel: *sévère;* irous: *farouche*
337 ou entendez vous: *que voulez-vous dire*
339 ceenz: *dedans;* repere: *demeure*
347 rouele: *la roue de fortune*

Or t'est il cheü ambes as;
Or te tien a ce que tu as,
350 Qu'a ma baillie as tu failli.
L'evesque m'en a fet bailli:
Si ne t'en sai ne gré ne graces.

Pierre respont

Theophile, sont ce manaces?
Des ier priai je mon seignor
355 Que il vous rendist vostre honor,
Et bien estoit droiz et resons.

THEOPHILES Ci avoit dures faoisons
Quant vous m'aviiez forjugié.
Maugré vostre, or le rai gié.
360 Oublié aviiez le duel.

PIERRES Certes, biaus chiers sire, a mon vuel,
Fussiez vous evesques eüs
Quant nostre evesques fu feüs;
Mes vous ne le vousistes estre,
365 Tant doutiiez le Roi celestre.

Or tence Theophiles a un autre.

THEOPHILES Thomas! Thomas! or te chiet mal
Quant l'en me ra fet seneschal;
Or leras tu le regiber
Et le combatre et le riber.
370 N'avras pior voisin de moi.

THOMAS Theophile, foi que vous doi,
Il samble que vous soiez yvres.

---

348 t'est il cheü ambes as: *deux points sont tombés pour toi, c'est-à-dire, le plus mauvais qu'on pût recevoir dans le jeu*
350 as tu failli: *t'a échappé*
351 bailli: *maître*
352 graces: *gratitude*
354 ier: *hier*
357 faoisons: *mésaventures*
358 forjugié: *condamné*
359 maugré: *malgré;* le rai gié: *je l'ai de nouveau*
360 duel: *douleur*
361 vuel: *voeu*
362 fussiez . . . eüs: *auriez été*
363 feüs: *mort*
365 doutiiez: *redoutiez*
366 chiet: *tombe*
367 ra fet: *a fait de nouveau*
368 leras tu le regiber: *tu laisseras le regimbement*
369 combatre: *querelle;* riber: *folâterie*
370 pior: *pire*

THEOPHILES Or en serai demain delivres,
Maugrez en ait vostre visages.
THOMAS Par Dieu! vous n'estes pas bien sages: 375
Je vous aim tant et tant vous pris.
THEOPHILES Thomas! Thomas! ne sui pas pris.
Encor porrai nuire et aidier.
THOMAS Il samble vous volez plaidier;
Theophile, lessiez me en pais. 380
THEOPHILES Thomas! Thomas! je que vous fais?
Encor vous plaindrez bien a tens,
Si com je cuit et com je pens.

[*Sept ans se sont écoulés.*]

Ici se repent Theophiles et vient a une chapele de Nostre Dame et dist:

THEOPHILES He! laz, chetis, dolenz, que porrai devenir?
Terre, comment me pues porter ne soustenir,
Quant j'ai Dieu renoié et celui voil tenir 386
A seignor et a mestre qui toz maus fet venir?

Or ai Dieu renoié, ne puet estre teü;
Si ai lessié le basme, pris me sui au seü.
De moi a pris la chartre et le brief receü 390
Maufez, se li rendrai de m'ame le treü.

Hé! Diex, que feras tu de cest chetif dolent
De qui l'ame en ira en enfer le boillant,
Et li maufez l'iront a leur piez defoulant? 394
Ahi! terre, quar œuvre, si me va engloutant.

---

373 delivres: *quitte*
374 maugrez en ait vostre visages: *que vous en ayez l'ennui*
376 pris: *estime*
377 pris: *en prison*
379 plaidier: *disputer*
380 pais: *paix*
382 vous plaindrez: *vous vous plaindrez;* a tens: *à temps*
384 chetis: *misérable*
386 renoié: *nié*
387 a: *pour*
388 estre teü: *me taire*
389 basme: *baume, symbole de consolation;* seü: *sureau: symbole de la désespérance*
390 chartre: *papier;* brief: *lettre*
391 maufez: *diable;* treü: *tribut*
393 le boillant: *qui bouille*
394 defoulant: *fouler*
395 me va engloutant: *m'avale*

Sire Diex, que fera cist dolenz esbahis
Qui de Dieu et du monde est hüez et haïs,
Et des maufez d'enfer engingniez et trahis?
Dont sui je de trestoz chaciez et envais?

400 He! las, com j'ai esté plains de grant nonsavoir
Quant j'ai Dieu renoié por un petit d'avoir.
Les richeces du monde que je voloie avoir
M'ont geté en tel leu dont ne me puis ravoir.

Sathan, plus de set anz ai tenu ton sentier;
405 Maus chans m'ont fet chanter li vin de mon chantier;
Molt felonesse rent e m'en rendront mi rentier,
Ma char charpenteront li felon charpentier.

Ame doit l'en amer; m'ame n'ert pas amee.
N'os demander la Dame qu'ele ne soit dampnee.
410 Trop a male semence en semoisons semee
De qui l'ame sera en enfer sorsemee.

Ha! las, com fol bailli et com fole baillie.
Or sui je mal baillis et m'ame mal baillie.
S'or m'osoie baillier a la douce baillie,
415 G'i seroie bailliez et m'ame ja baillie.

---

396 esbahis: *affligé*
397 hüez: *hué*
398 engingniez: *trompé*
399 envais: *assailli*
400 nonsavoir: *folie*
401 avoir: *propriété*
402 voloie: *voulais*
403 leu: *lieu;* me . . . ravoir: *me . . . tirer*
405 maus chans: *mauvaises chansons;* chantier: *vignoble*
406 molt felonesse rent: *très cruel revenu;* rentier: *actionnaires*
407 charpenteront: *couperont*
408 amer: *aimer;* ert: *sera*
409 os: *ose*
410 semoisons: *semaille*
411 sorsemee: *corrompue*
412 bailli: *maître;* baillie: *maîtrise*
413 mal baillis: *mal en point*
414 baillier: *confier;* baillie: *puissance*
415 bailliez: *accepté*
416 ors: *sale*; ordoiez: *souillé;* ordure: *saleté*
417 ordement: *d'une façon sale*

Ors sui et ordoiez doit aler en ordure;
Ordement ai ouvré, ce set cil qui or dure
Et qui toz jours durra; s'en avrai la mort dure.
Maufez, com m'avez mors de mauvese morsure.

Or n'ai je remanance ne en ciel ne en terre. 420
Ha! las, ou est li lieus qui me puisse soufferre?
Enfers ne me plest pas ou je me voil offerre;
Paradis n'est pas miens, que j'ai au Seignor guerre.

Je n'os Dieu reclamer ne ses sainz ne ses saintes,
Las, que j'ai fet hommage au deable mains jointes. 425
Li maufez en a lettres de mon anel empraintes.
Richece, mar te vi: j'en avrai dolors maintes.

Je n'os Dieu ne ses saintes ne ses sainz reclamer,
Ne la tresdouce Dame que chascuns doit amer,
Mes por ce qu'en li n'a felonie n'amer, 430
Se je li cri merci, nus ne m'en doit blasmer.

C'est la proiere que Theophiles dist devant Nostre Dame.

Sainte roïne bele,
Glorieuse pucele,
Dame de grace plaine,
Par qui toz biens revele, 435
Qu'au besoing vous apele,
Delivres est de paine;
Qu'a vous son cuer amaine

---

419 mors: *mordu*
420 remanance: *droit de sejour*
422 plest: *plaît;* offerre: *offrir*
423 ai . . . guerre: *me suis brouillé*
426 anel emprainte: *anneau empreint dans le sceau*
427 mar: *mal à propos*
430 n'a: *il n'y a pas;* amer: *amertume*
432 roïne: *reine*
435 revele: *revit*
436 au besoing: *aux moments difficles*
437 delivres: *quitte*
438 qu' . . . amaine: *qui amène*

Ou pardurable raine
440 Avra joie novele.
Arousable fontaine
Et delitable et saine,
A ton Filz me rapele!

En vostre douz servise
445 Fu ja m'entente mise,
Mes trop tost fui temptez.
Par celui qui atise
Le mal, et le bien brise,
Sui trop fort enchantez.
450 Car me desenchantez,
Que vostre volentez
Est plaine de franchise,
Ou de granz orfentez
Sera mes cors rentez
455 Devant la fort justice.

Dame sainte Marie
Mon corage varie
Ainsi que il te serve,
Ou ja mes n'ert tarie
460 Ma dolors, ne garie,
Ains sera m'ame serve;
Ci avra dure verve
S'ainz que la mors n'enerve,
En vous ne se marie
465 M'ame qui vous enterve.
Souffrez li cors deserve,
L'ame ne soit perie.

---

439 ou pardurable raine: *au règne éternel*
441 arousable: *jaillisante*
445 entente: *effort*
447 atise: *provoque*
452 franchise: *générosité*
453 orfentez: *malheur*
454 rentez: *pourvu*
457 varie: *fais changer*
458 ainsi que: *pour que*
460 garie: *guéri*
461 serve: *en servitude*
462 verve: *parole*
463 ainz que la mors n'enerve: *avant que la mort détruise les nerfs*
465 enterve: *aspire vers*
466 souffrez li cors deserve: *le corps mérite la souffrance*
467 l'ame ne soit perie: *que l'âme ne soit pas condamnée*

Dame de charité
Qui par humilité
Portas nostre salu, 470
Qui toz nous a geté
De duel et de vilté
Et d'enferne palu,
Dame, je te salu.
Ton salu m'a valu, 475
Jel sai de verité;
Gar qu'avoec Tentalu
En enfer le jalu
Ne praingne m'erité.

En enfer ert offerte, 480
Dont la porte est ouverte,
M'ame par mon outrage:
Ci avra dure perte
Et grant folie aperte,
Se la praing herbregage. 485
Dame, or te faz hommage:
Torne ton douz visage;
Por ma dure deserte,
El non ton Filz, le sage,
Ne souffrir que mi gage 490
Voisent a tel poverte.
Si comme en la verriere
Entre et reva arriere
Li solaus que n'entame,
Ainsinc fus virge entiere 495
Quant Diex, qui es ciex iere,
Fist de toi mere et dame.

---

472 duel: *douleur;* vilté: *bassesse*
473 enferne palu: *marais infernal*
475 valu: *rendu service*
477 gar: *prends garde;* Tentalu: *Tantale*
478 jalu: *jaloux*
479 praingne: *prennes;* erité: *héritage*
482 outrage: *excès*
484 aperte: *évidente*
485 herbregage: *demeure*
488 deserte: *châtiment*
491 voisent: *se dirigent*
492 verriere: *mirroir*
494 solaus: *soleil;* entame: *pénètre*
495 ainsinc: *ainsi;* virge: *vierge*
496 es ciex: *au paradis;* iere: *sera*

Ha! resplendissant jame,
Tendre et piteuse fame,
500 Car entent ma proiere,
Que mon vil cors et m'ame
De pardurable flame
Rapelaisses arriere.

Roïne debonaire,
505 Les iex du cuer m'esclaire
Et l'obscurté m'esface,
Si qu'a toi puisse plaire
Et ta volenté faire:
Car m'en done la grace.
510 Trop ai eü espace
D'estre en obscure trace;
Encor m'i cuident traire
Li serf de pute estrace;
Dame, ja toi ne place
515 Qu'il facent tel contraire.
En vilté, en ordure,
En vie trop obscure
Ai esté lonc termine;
Roïne nete et pure,
520 Quar me pren en ta cure
Et si me medecine.
Par ta vertu devine
Qu'ades est enterine,
Fai dedenz mon cuer luire
525 La clarté pure et fine,
Et les iex m'enlumine,
Que ne m'en voi conduire.

---

498 jame: *gemme*
502 pardurable: *éternel*
503 rapelaisses: *tu rappelles*
504 debonaire: *gracieuse*
505 esclaire: *allume*
506 esface: *enlève*
513 estrace: *extraction*
514 place: *plaise*
515 facent: *fassent;* contraire: *mal*
518 termine: *temps*
519 nete: *honnête*
520 cure: *soin*
521 medecine: *soigne*
523 adés: *toujours;* enterine: *entière*
527 que ne m'en voi conduire: *pour que je m'en aille protégé*

Li proieres qui proie
M'a ja mis en sa proie:
Pris serai et preez; 530
Trop asprement m'asproie.
Dame, ton chier Filz proie
Que soie despreez;
Dame, car leur veez,
Qui mes mesfez veez, 535
Que n'avoie a leur voie.
Vous qui lasus seez,
M'ame leur deveez,
Que nus d'aus ne la voie.

Ici parole Nostre Dame a Theophile et dist:

NOSTRE DAME Qui es tu, va, qui vas par ci? 540
THEOPHILES Ha, Dame! aiez de moi merci.
C'est li chetis
Theophile, li entrepris
Que maufé ont loié et pris.
Or vieng proier 545
A vous, Dame, et merci crier,
Que ne gart l'eure qu'asproier
Me viengne cil
Qui m'as mis a si grant escil.
Tu me tenis ja por ton fil, 550
Roïne bele.

Nostre Dame parole

Je n'ai cure de ta favele.
Va t'en, is fors de ma chapele.

---

528 proieres: *voleur;* proie: *vole*
529 proie: *troupeau*
530 preez: *pillé*
531 asprement m'asproie: *il me tourmente sévèrement*
533 despreez: *délivré*
534 veez: *défendez*
535 mesfez: *méfaits;* veez: *voyez*
536 n'avoie a leur voie: *je ne suis pas leur chemin*
537 lasus: *là-haut;* seez: *soyez*
538 deveez: *refusez*
539 nus d'aus: *aucun d'entre eux*
542 chetis: *misérable*
543 li entrepris: *le perdu*
544 loié: *lié;* pris: *saisi*
547 que ne gart l'eure: *que l'heure est imminente où;* asproier: *tourmenter*
549 escil: *tourment*
552 favele: *bavardage*
553 is: *sors*

Theophiles parole

Dame, je n'ose.
555 Flors d'aiglentier et lis et rose
En qui li Filz Dieu se repose,
Que ferai gié?
Malement me sent engagié
Envers le maufé enragié.
560 Ne sai que fere.
Ja mes ne finirai de brere.
Virge, pucele debonere,
Dame honoree,
Bien sera m'ame devoree,
565 Qu'en enfer fera demoree
Avoec Cahu.

NOSTRE DAME Theophile, je t'ai seü
Ça en arriere a moi eü.
Saches de voir,
570 Ta chartre te ferai ravoir
Que tu baillas par nonsavoir.
Ja la vois querre.

Ici va Nostre Dame por la chartre Theophile.

NOSTRE DAME Sathan! Sathan! es tu en serre?
S'es or venuz en ceste terre
575 Por commencier a mon clerc guerre,
Mar le penssas.
Rent la chartre que du clerc as,
Quar tu as fet trop vilain cas.

Sathan parole

Je la vous rande!
580 J'aim miex assez que l'en me pende.
Ja li rendi je sa provande,

---

558 engagié: *mêlé*
561 brere: *lamenter*
566 Cahu: *dieu des Sarrasins*
567-568 je t'ai seü / Ça en arriere a moi eü: *je t'ai connu autrefois parmi les miens*
569 de voir: *en vérité*
571 baillas par nonsavoir: *donnas par folie*
572 vois querre: *vais la chercher*
573 en serre: *enfermé*
576 mar: *mal à propos*
581 provande: *charge ecclésiastique*

Et il me fist de lui offrande
Sanz demorance,
De cors et d'ame et de sustance.
NOSTRE DAME Et je te foulerai la pance. 585

Ici aporte Nostre Dame la chartre a Theophile.

Amis, ta chartre te raport.
Arivez fusses a mal port
Ou il n'a solaz ne deport
A moi entent:
Va a l'evesque et plus n'atent; 590
De la chartre li fait present,
Et qu'il la lise
Devant le pueple en sainte yglise,
Que bone gent n'en soit sorprise
Par tel barate. 595
Trop aime avoir qui si l'achate;
L'ame en est et honteuse et mate.
THEOPHILES Volentiers, Dame.
Bien fusse mors de cors et d'ame;
Sa paine pert qui ainsi same, 600
Ce voi je bien.

Ici vient Theophiles a l'evesque et li baille sa chartre et dist:

THEOPHILES Sire, oiez moi, por Dieu merci.
Quoi que j'aie fet, or sui ci.
Par tens savroiz
De qoi j'ai molt esté destroiz; 605
Povres et nus, maigres et froiz
Fui par defaute.
Anemis, qui les bons assaute,
Ot fet a m'ame geter faute 610

583 demorance: *retard*
585 pance: *ventre*
587 port: *situation*
588 solaz: *bonheur;* deport: *joie*
589 a moi entent: *à mon avis*
595 barate: *fourberie*
596 avoir: *richesse*
597 mate: *perdue*
599 mors: *mort*
600 sa paine pert qui ainsi same: *il perd son temps qui sème ainsi*
604 savroiz: *saurez*
605 destroiz: *en détresse*
607 par defaute: *à cause de privation*
608 anemis: *diable;* assaute: *assaillit*

Dont mors estoie.
La Dame qui les siens avoie
N'a desvoié de male voie
Ou avoiez
Estoie, et si forvoiez
615 Qu'en enfer fusse convoiez
Par le deable,
Que Dieu, le pere esperitable,
En toute ouvraingne charitable,
Lessier me fist.
620 Ma chartre en ot de quanqu'il dist;
Seelé fu quanqu'il requist.
Molt me greva,
Par poi li cuers ne me creva.
La Virge la me raporta,
625 Qu'a Dieu est mere,
La qui bonté est pure et clere;
Si vous vueil proier, com mon pere,
Qu'el soit leüe,
Qu'autre gent n'en soit deceüe
630 Qui n'ont encore aperceüe
Tel tricherie.

Ici list l'evesque la chartre et dist:

LI EVESQUES Oiez, por Dieu le Filz Marie,
Bone gent, si orrez la vie
635 De Theophile
Qui anemis servi de guile.
Ausi voir comme est Evangile
Est ceste chose;
Si vous doit bien estre desclose.
Or escoutez que vous propose:

---

609 fet a . . . geter: *a fait commettre*
610 mors: *tué*
611 avoie: *guide*
612 desvoié: *détourné;* voie: *chemin*
614 forvoiez: *fourvoyé*
615 convoiez: *conduit*
618 ouvraingne: *œuvre*
620 de quanqu': *pour tout ce qu'*
621 seelé: *scellé*
622 greva: *blessa*
623 poi: *peu*
626 la qui: *celle qui*
628 leüe: *lue*
631 tricherie: *tromperie*
636 de guile: *à cause de tromperie*
638 desclose: *découverte*

"A toz cels qui verront ceste lettre commune 640
Fet Sathan a savoir que ja torna fortune,
Que Theophiles ot a l'evesque rancune,
Ne li lessa l'evesque seignorie nesune.

Il fu desesperez quant l'en li fist l'outrage;
A Salatin s'en vint qui ot el cors la rage, 645
Et dist qu'il li feroit molt volentiers hommage,
Se rendre li pooit s'onor et son domage.

Je le guerroiai tant com mena sainte vie,
C'onques ne poi avoir desor lui seignorie. 649
Quant il me vint requerre, j'oi de lui grant envie;
Et lors me fist hommage, si rot sa seignorie.

De l'anel de son doit seela ceste lettre;
De son sanc les escrist, autre enque n'i fist metre,
Ains que je me vousisse de lui point entremetre
Ne que je le feisse en dignité remetre." 655

Issi ouvra icil preudom.
Delivré l'a tout a bandon
La Dieu ancele;
Marie, la virge pucele,
Delivré l'a de tel querele. 660
Chantons tuit por ceste novele;
Or levez sus;
Disons: Te Deum laudamus

Explicit

Le Miracle de Theophile

---

643 seignorie nesune: *aucune dignité ecclésiastique*
646 li: *Satan*
647 pooit: *pouvait;* domage: *pertes*
648 je: *Satan;* guerroiai: *fis la guerre contre;* tant com: *tant que*
649 c': *si;* poi avoir desor lui seignorie: *peux le dominer*
650 requerre: *chercher*
651 rot: *avait de nouveau*
652 doit: *doigt*
653 enque: *encre*
654 ains que je me vousisse de lui point entremetre: *avant que je voulusse m'occuper de lui*
655 remetre: *repousser*
656 ouvra: *agit*
657 tout a bandon: *en toute liberté*
658 ancele: *pucelle*
660 querele: *affaire affreuse*
661 tuit: *tous*

La
Farce
du Cuvier

La Farce Du Cuvier

15e SIECLE

Farce nouvelle, tres bonne et fort joyeuse du Cuvier a troys personnaiges

C'est assavoir: JAQUINOT, le mary
SA FEMME
Et LA MERE de sa Femme

JAQUINOT Le grant dyable me mena bien

. . . .

Quant je me mis en mariage;
Ce n'est que tempeste et oraige.
5 On n' [y] a que soulcy et peine.
Tousjours ma femme se demaine
Comme ung saillant, et puis sa mere
Afferme tousjours la matiere.

. . . .

10 Je n'ay repos, heurt ne arrest;
Je suis peloté et tourmenté

. . . .

5 soulcy: *souci*
6 se demaine: *se dispute*
7 ung saillant: *un jeune cerf*
8 afferme: *confirme*
10 heurt: *repos*
11 peloté: *frappé*

De gros cailloux sur ma servelle.
L'une crye, l'autre grumelle;
15 L'une mauldit, l'autre tempeste.
Soit jour ouvrier ou jour de fete
Je n'ay point d'aultre passetemps.
Je suis au renc des mal contens,
Car de rien ne fais mon proffit.
20 Mais par le sang que Dieu me fist
Je seray maistre en ma maisun
. . . . se m'y maitz.

LA FEMME . . . . .Dea, que de plaictz.
Taisez vous, si ferez que saige.

25 LA MERE Qu'il a il [donc]?

LA FEMME Quoy? Et que sçay je?
Il y a tousjours a refaire,
Et ne pense pas a l'affaire
De ce qu'il fault a la maison.

LA MERE Dea, il n'y a point de raison,
30 Ne de propos. Par Nostre Dame
Il faut obeyr a sa femme,
Ainsy que doibt ung bon mary.
. . . .
Se elle vous bat aulcunesfois
35 Quant vous fauldrez.

JAQUINOT Hon! toutesfois
Ce ne souffriray je de ma vie.

LA MERE Non? Pourquoy? Par saincte Marie
Pensez vous, se elle vous chastie
Et corrige en temps et en lieu
40 Que se soit par mal? Non, par bieu!
Ce n'est que signe d'amourette.

LA FEMME C'est tres bien dit, ma mere Jaquette

JAQUINOT Mais ce n'est rien dit a propos

---

13 servelle: *tête*
14 grumelle: *dispute*
15 tempeste: *est furieuse*
16 ouvrier: *ouvrable*
18 au renc des mal contens: *parmi les mécontents*
22 maitz: *mets*
23 Dea: *Mon Dieu;* plaictz: *paroles*
24 saige: *sage*
25 qu'il a il [donc]: *qu'est-ce qu'il y a;* sçay: *sais*
30 propos: *justification*
32 doibt: *doit*
34 aulcunesfois: *quelquefois*
35 vous fauldrez: *manquerez à vos devoirs*
40 par bieu: *par Dieu*
41 amourette: *affection*

De faire ainsi tant d'agios,
Entendez vous? Voyla la glose. 45

LA MERE J'entens [tres] bien, mais je propose
Que ce n'est rien du premier an
Entendez vous, mon amy Jehan?

JAQUINOT Jehan! Vertu sainct Pol, qu'est ce a dire?
Vous me acoustrez bien en sire, 50
. . . .
D'estre si tost Jehan devenu.
J'ai non Jacquinot, mon droit non.
L'ignorez vous?

LA MERE Mon amy, non,
Mais vous estes Jehan marié. 55

JAQUINOT Par bieu, J'en suis plus harié.

LA MERE Certes, Jaquinot, mon amy
Vous estes [un] homme abonny.

JAQUINOT Abonny, moy! Vertu sainct George.
J'aymeroys mieulx qu'on coupast ma gorge. 60
Abonny! [Ha,] benoiste Dame!

LA MERE Il fault faire au gré de sa femme.
C'est cela, s'on le vous commande.

JAQUINOT Ha, sainct Jehan! elle me commande
Trop de negoces en effaict. 65

LA MERE Pour vous mieulx souvenir du faict,
Il vous convient faire ung roullet
Et mettre tout en ung fueillet
Ce qu'elle vous commandera.

JAQUINOT A moy cela point ne tiendra. 70

[*La Femme fait un geste menaçant*]

---

44 agios: *simagrées*
45 voyla la glose: *voilà ce que j'ai à vous dire*
46 propose: *affirme*
47 que ce n'est rien du premier an: *le premier an n'est rien en comparaison de ce qui va suivre*
48 Jehan: *nom générique des maris trompés*
50 vous me acoustrez bien en sire: *je ne vous suis pas reconnaissant*
53 non: *nom*
55 Jehan marié: *cocu*
56 harié: *harcelé*
58 abonny: *dompté*
61 benoiste: *sainte*
62 gré: *caprice*
65 negoces: *affaires*
67 roullet: *rouleau de papier*
68 fueillet: *feuille*
70 a moy cela point ne tiendra: *cela ne m'obligera pas*

Commencer m'en voys a escripre.
LA FEMME Or escripvez qu'on le puist lire
Prenez que vous me obeyrez,
Ne jamais ne me desobeyrez
75 De faire [tout] le vouloir mien.
JAQUINOT Le corps bieu, je n'en feray rien,
Sinon que chose de raison.
LA FEMME Or mettez la, sans long blason,
Pour eviter de me grever,
80 Qu'il vous fauldra tousjours lever
Premier pour faire la besongne.
JAQUINOT Par Nostre Dame de Boulongne,
A cest article je m'oppose.
84 Lever premier! Et pour quel chose?
LA FEMME Pour chauffer au feu ma chemise.
JAQUINOT Me dictes vous que c'est la guise?
LA FEMME C'est la guise, aussi la façon.
Apprendre vous fault la leçon.
LA MERE Escripvez.
LA FEMME Mettez, Jaquinot.
90 JAQUINOT Je suis encor au premier mot;
Vous me hastez tant que merveille.
LA MERE De nuyt, se l'enfant se resveille,
Ainsi qu'on faict en plusieurs lieux,
Il vous fauldra estre songneux
95 De vous lever pour le bercer,
Pourmener, porter, aprester
Parmi la chambre et fust minuict.
JAQUINOT Je ne sçauroye prendre deduit,
99 Car il n'y a point d'aparence.
LA FEMME Escripvez.
JAQUINOT Par ma conscience,
Il est tout plain jusque a la rive.
Mais que voulez vous que j'escripve?

---

72 qu': *pour que*
75 le vouloir mien: *ma volonté*
77 sinon que chose de raison: *excepté quelque chose de raisonnable*
78 blason: *discours*
79 grever: *agacer*
94 songneux: *soigneux*
96 pourmener: *promener;* aprester: *préparer*
97 fust: *même fût-il*
98 deduit: *plaisir*
99 d'aparence: *de raisonnable*
101 il: *le rouleau;* rive: *bord*

LA FEMME Mettez ou vous serez frotté.
JAQUINOT Ce sera pour l'autre costé.
LA MERE Apres, Jaquinot, il vous faut 105
. . . .
Boulenger, fournier, buer.
LA FEMME Beluter, laver, essanger.
LA MERE Aller, venir, courir, trotter,
Peine avoir comme Lucifer. 110
LA FEMME Faire le pain, le four chauffer.
LA MERE Mener la mousture au moulin.
LA FEMME Faire le lict au plus matin,
Sur peine d'estre bien bastu.
LA MERE Et puis mettre le pot au feu 115
Et tenir la cuisine nette.
JAQUINOT S'i fault que tout cela se mette,
Il fauldra dire mot a mot.
LA MERE Or escripvez donc, Jaquinot:
Boulenger,
LA FEMME fournier,
LA MERE buer. 120
LA FEMME Beluter,
LA MERE laver,
LA FEMME essanger.
JAQUINOT Laver quoy?
LA MERE Les potz et les platz.
JAQUINOT Attendez, ne vous hastez pas:
Les potz, les platz
LA FEMME Et les escuelles.
JAQUINOT Et par le sang bieu, ma cervelle 125
Ne sçauroit cela retenir.
LA FEMME Mettez, pour vous en souvenir,
Entendez vous? Car je le veulx.
JAQUINOT Bien. Laver les . . . .
LA FEMME . . . . .drapeaulx breneux
De nostre enfant en la riviere. 130

---

104 costé: *côté*
107 boulenger: *faire cuire;* fournier: *travailler au four;* buer: *lessiver*
108 beluter: *tamiser la farine;* essanger: rincer
112 la mousture: *le grain à moudre*
113 lict: *lit*
124 escuelles: *bols*
129 breneux: *sales*

JAQUINOT Je regny goy. [Ne] la matier[e]
Ne les motz ne sont point honnestes.

LA FEMME Mettez, [mettez,] hay! sotte beste!
134 Avez vous honte de cela?

JAQUINOT Par le corps bieu, rien n'en sera,
Et mentirez puis que j'en jure.

LA FEMME Il fault que je vous face injure;
Je vous battray plus que plastre.

JAQUINOT Helas! Plus n'en veulz [je] debatre.
140 Il y sera, n'en parlez plus.

LA FEMME Il ne rest, pour le surplus,
Pour le mesnaige mettre en ordre,
Que present me ayderez a tordre
La lessive aupres du cuvier,
145 Habille comme ung esprevier.
[Escripvez.]

JAQUINOT Il y est, hola.

LA MERE Et puis aussi faire cela.....

[*Elle suggère d'un ton équivoque les intimités conjugales.*]

Aulcunes fois a l'eschappee.

JAQUINOT Vous en aurez une gouppee
150 En quinze jours ou en ung moys.

LA FEMME Mais tous les jours cing ou six fois
Je l'entens ainsi pour le moins.

JAQUINOT ....
Rien n'en sera, par le bon Saulveur
155 ....
Cinq ou six fois! Vertu sainct George!
....
Cinq ou six fois! Ne deux ne trois!
....
160 Par le corps bieu, rien n'en sera.

---

131 regny goy: *abandonne joie*
135 bieu: *de Dieu*
136 puis que: *après que*
141 pour le surplus: *de plus*
142 mesnaige: *ménage*
144 cuvier: *cuve*
145 habille: *rapide*
146 il y est: *c'est ça;* hola: *arrête*
148 aulcunes fois: *quelque fois;* a l'eschappee: *en secret*
149 une gouppee: *un coup de dent*
152 entens: *comprends*

. . . .

LA FEMME Qu'on ait du villain malle joye!

. . . .

Rien ne vault ce lasche paillart.
JAQUINOT Corbieu, je suis bien coquillart 165
D'estre ainsi durement mené.
Il n'est ce jour d'huy homme nay
Qui sçeust icy prendre deduict.
Raison pourquoy? Car jour et nuict
Me fault recorder ma leçon 170

. . . .

. . . .

LA MERE Il y sera, puis qu'il me plaist.
Despechez vous et le signez!
JAQUINOT Le voila signé; or tenez 175
LA MERE Gardez bien qu'il ne soit perdu.
JAQUINOT Si je devois estre pendu
Des a ceste heure je propose
Que je ne feray autre chose
Que ce qui est a mon rolet. 180
LA MERE Or le gardez bien tel qu'il est.
LA FEMME Ma mere, je vous commande a Dieu.

[*La Mère sort.*] *En parlant a Jaquinot.*

Or sus, tenez la, de par Dieu.
Et prenez ung peu la suee
Pour bien tendre nostre buee. 185
C'est ung des pointz de nostre affaire.
JAQUINOT Point je n'entens que voulez faire.

[*Un aparté au public.*]

Mais qu'esse qu'elle me commande?

---

162 villain: *scélérat;* malle joye: *malheur*
165 corbieu: *mon Dieu*
167 ce jour d'huy: *aujourd'hui;* nay: *né*
168 sçeust: *saurait;* deduict: *plaisir*
170 recorder: *rappeler*
173 il y sera: *ce sera ça*
183 sus: *debout*
184 prenez . . . la suee: *mettez-vous au travail*
186 buee: *lessive*
187 entens: *comprends*
188 esse: *est-ce*

LA FEMME Jouee te bailleray si grande.

190 Je parle du laver, follet.

JAQUINOT Cela n'est point a mon rollet.

LA FEMME Si, est vrayment.

JAQUINOT Jehan, non est.

LA FEMME Non est? si, est [il,] s'il te plaist.

Le voyla [la] qui te puisse ardre.

195 . . . .

. . . .

[*La Femme commence à frapper Jaquinot.*]

JAQUINOT Hola! hola! je le veulx bien!

C'est raison, vous avez dit vray;

199 Une aultre foys je y penseray.

LA FEMME Tenez ce bout la; tirez fort.

JAQUINOT Le sang bieu! Que ce linge est ort!

Il fleure bien le mux de couche.

LA FEMME Mais un estronc en vostre bouche!

Faictes comme moy gentillement!

JAQUINOT La merde y est; par mon serment,

206 Voicy ung tres piteux mesnage.

LA FEMME Je vous ruray tout au visage;

Ne cuidez pas que ce soit fable.

JAQUINOT Non ferez, non, de par le dyable.

[*La femme lui jette le drap à la tête.*]

LA FEMME Or sentez la, maistre quoquart.

JAQUINOT Dame le grant dyable y ait part.

212 Vous m'avez gasté mes habis.

LA FEMME Fault il chercher tant d'abilis

---

189 jouee: *gifle;* bailleray: *donnerai*
190 follet: *fou*
192 Jehan: *par St. Jean*
194 ardre: *brûler*
197 hola: *soit*
201 ort: *sale*
202 fleure: *sent;* mux: *musc*
203 mais: *mets;* estronc: *un morceau d'excrément* (= *qu'il se taise*)
205 la merde y est: *J. fait retomber sur sa femme le propos précédent. Il veut dire qu'elle-même a la bouche pleine d'excrément.*
207 ruray: *lancerai*
208 ne cuidez pas: *ne croyez pas;* fable: *plaisanterie*
210 quoquart: *niais*
211 dame le grant dyable y ait part: *que la dame du diable y ait part*
212 gasté: *gâté*
213 abilis: *façons*

Quant convient faire la besongne?
Retenez moy! Que malle rongne 215
Vous puisse tenir par le corps!

Elle chet en la cuve.

Mon Dieu, soyez de moy records,
Ayez pitié de ma pouvre ame!
Aydez moy a sortir dehors,
Ou je mourray par grant diffame. 220
Jaquinot, secourez vostre femme,
Tirez la hors de ce baquet.

JAQUINOT Cela n'est pas a mon rolet.

LA FEMME Tant ce tonneau presse.
J'en ay grant destresse; 225
Mon cueur est en presse.
Las, pour Dieu, que je soye ostee.

JAQUINOT [Ha!] la vieille vesse
Tu n'es que une yvresse;
Retourne ta fesse 230
De l'aultre costé.

LA FEMME Mon bon mary, saulvez ma vie.
Je suis ja toute esvanouye.
Baillez la main ung tantinet.

JAQUINOT Cela n'est point a mon rollet: 235
Car en enfer elle descendra.

LA FEMME Helas! Qui a moy n'attendra?
La mort me viendra enlever.

Jaquinot lyt son rollet.

JAQUINOT Boulenger, fournier, buer,
Beluter, laver, essanger. 240

LA FEMME Le sang m'est desja tout mué;
Je suis sur le point de mourir.

JAQUINOT Baiser, acoller et fourbir.

---

215 malle rongne: *douleur*
217 soyez de moy records: *ne m'oubliez pas*
220 diffame: *honte*
222 baquet: *cuve*
226 en presse: *agite*
228 vesse: *femme de mauvaise vie*
234 baillez: *donnez;* ung tantinet: *un peu*
241 mué: *changé de couleur*
243 fourbir: *faire l'amour*

LA FEMME Tost pensez de me secourir.
245 JAQUINOT Aller, venir, trotter, courir.
LA FEMME Jamais n'en passeray ce jour.
JAQUINOT Faire le pain, chauffer le four.
LA FEMME Sa, la main; je tire a la fin.
JAQUINOT Mener la mousture au moulin.
250 LA FEMME Vous estes pis que chien mastin.
JAQUINOT Faire le lict au plus matin.
LA FEMME Las! Il vous semble que soit jeu.
JAQUINOT Et puis mettre le pot au feu.
LA FEMME Las! Ou est ma mere Jaquette?
255 JAQUINOT Et tenir la cuisine nette.
LA FEMME Allez moy querir le curé.
JAQUINOT Tout mon papier est escuré.
Mais je vous prometz sans long plet:
Cela n'est point a mon rolet.
260 LA FEMME Et pourquoy n'y est il escript?
JAQUINOT Pour ce que ne l'avez pas dit.
Saulvez vous comme vous vouldrez,
Car de par moy vous demourrez.
LA FEMME Cherchez doncques si vous voirrez
265 En la rue quelque varlet.
JAQUINOT Cela n'est point a mon roulet.
LA FEMME Et, sa, la main, mon doulx amy,
Car de me lever ne suis pas forte.
JAQUINOT Amy? mais ton grant ennemy.
270 Je vouldrois t'avoir baisee morte.
LA MERE Hola! Hau!
JAQUINOT Qui heurte a la porte?
LA MERE Sont vos grans amys, de par Dieu!
Je suis arriver en ce lieu
Pour sçavoir comme tout se porte.
275 JAQUINOT Tresbien, puis que ma femme est morte
Tout mon souhait est advenu;

---

244 tost: *vite*
246 passeray: *survivrai*
248 sa: *ça;* tire: *arrive*
250 mastin: *mâtin*
255 nette: *propre*
256 querir: *chercher*
257 escuré: *fini*
258 plet: *discours*
263 demourrez: *demeurerez*
264 voirrez: *verrez*
265 varlet: *domestique*
270 t'avoir baisee morte: *t'embrasser avant l'enterrement*
271 heurte: *frappe*
276 advenu: *arrivé*

J'en suis plus riche advenu.
LA MERE Et, as tu ma fille tuee?
JAQUINOT Noyee elle est en la buee.
LA MERE Faulx meudrier, qu'esse que tu dis? 280
JAQUINOT Je prie a Dieu de Paradis
Et monsieur sainct Denys de France
Que le dyable lui casse la pance
Avant que l'ame soit passee!
LA MERE Helas! Est ma fillee trespassee? 285
JAQUINOT En teurdant elle c'est baissee.
Puis la pongnee est eschapee,
Et a l'envers est cheute la.
LA FEMME Mere, je suis morte, voyla,
Se ne secourez vostre fille. 290
LA MERE En ce cas [je] seray habille.
Jaquinot, la main, s'il vous plaist.
JAQUINOT Cela n'est point a mon roulet.
LA MERE Vous avez grand tort en effaict.
LA FEMME Las! Aydez moy!
LA MERE Meschant infaict, 295
La laisserez vous mourir la?
JAQUINOT De par moy, elle y demourra;
Plus ne vueil estre son varlet.
LA FEMME Aydez moy!
JAQUINOT Point n'est au rollet:
Impossible est de le trouver. 300
LA MERE Dea, Jaquinot, sans plus resver,
Ayde moy a lever ta femme.
JAQUINOT Ce ne feray je, sur mon ame,
Se premier il n[e m']est promis
Que en possession seray mis 305
Desor[e]mais d'estre le maistre.
LA FEMME Si hors d'icy me voulez mettre
Je le promectz de bon couraige.
JAQUINOT Et si ferez?

---

280 esse: *est-ce*
283 pance: *estomac, ce détail vient de la description biblique de la mort de Judas*
285 trespassee: *morte*
286 en teurdant: *en tordant la lessive;* c'est: *s'est*
287 la pongnee est eschapee: *elle a lâché prise*
288 cheute: *tombée*
291 habille: *adroite*
295 infaict: *infect*
301 resver: *rêver*
308 couraige: *cœur*

LA FEMME Tout le mesnaige,

310 Sans jamais rien vous demander,
Ne quelque chose commander,
Se par grant besoing ne le fault.

JAQUINOT Or sus doncques, lever la fault;
Mais, par tous les sainctz de la messe,
315 Je veulx que me tenez promesse
Tout ainsi que vous l'avez dit.

LA FEMME Jamais n'y mettray contredit
Mon amy, je le vous prometz.

JAQUINOT Je seray doncques desormais
320 Maistre, puis que ma femme l'accorde.

LA MERE Si en mesnaige y a discorde,
On ne sçauroit fructifier

JAQUINOT Aussi je veulx certifier
Que le cas est a femme laict
325 Faire de son maistre son varlet.
Tant soit il sot ou mal aprins.

[*Jacquinot la tire du cuvier.*]

LA FEMME Aussi [bien] m'en est il mal prins,
Comme on a veu cy en presence.
Mais desormais en diligence
330 Tout le mesnaige je feray;
Aussi la servante je seray,
Comme par droict il appartient.

JAQUINOT Heureux seray, se le marché tient,
334 Car je vivray sans soucy.

LA FEMME Je le vous tiendray sans sy.
Je le vous prometz, c'est raison;
Maistre serez en la maison,
Maintenant bien consideré.

JAQUINOT Par cela doncques je feray
340 Que plus ne vous seray divers,

---

312 se . . . ne: *à moins que . . . ne*
313 sus: *debout;* lever la fault: *il faut la lever*
317 contredit: *contradiction*
322 fructifier: *avoir des enfants*
324 laict: *nuisible*
326 tant soit il: *qu'il soit;* aprins: *instruit*
328 veu: *vu*
340 divers: *cruelle*
341 retenez: *n'oubliez pas;* à motz couvers: *à mots couverts*
345 rallie: *réconciliée*

Car retenez, motz couvers,
Que par indicible follye
J'avoys le sens mis a l'envers.
Mais tous mes sens sont recouvers
Quant ma femme si est rallie, 345
Qui a voulu en fantasie
Me mettre en sa subjection.
Adieu: c'est pour conclusion.

Cy fine

La Farce du Cuvier

BIBLIOGRAPHIE

Chambers, E. K., *The Mediaeval Stage* (Oxford: Oxford University Press, 1903), 2 vols.

Cohen, Gustave, *Le Théâtre religieux en France au Moyen Age* (Paris: Rieder, 1929-1930).

Cohen, Gustave, *Histoire de la mise en scène dans le théâtre religieux au Moyen Age* (Paris: Champion, 1926).

Cohen, Gustave, *Le Livre de conduite du régisseur pour le Mystère de la Passion* (Paris: Champion, 1925).

Faral, Edmond, *Mimes français du XIIIe siècle* (Paris: Champion, 1910).

Frank, Grace, *The Medieval French Drama* (Oxford: Oxford University Press, 1954).

Rolland, Joachim, *Essai paléographique et bibliographique sur le théâtre profane en France avant le XVe siècle* (Paris: Bibliothèque d'histoire littéraire, 1945).

Young, Karl, *The Drama of the Medieval Church* (Oxford: Clarendon Press, 1933).